2nd Edition

CHINESE MADE EASY

Traditional Characters Version

輕鬆學漢語（練習冊）

3

Workbook

Yamin Ma
Xinying Li

Joint Publishing (H.K.) Co., Ltd.
三聯書店（香港）有限公司

Chinese Made Easy (*Workbook 3*)
Yamin Ma, Xinying Li

Editor	Chen Cuiling, Luo Fang
Art design	Arthur Y. Wang, Yamin Ma, Xinying Li
Cover design	Arthur Y. Wang, Amanda Wu
Graphic design	Amanda Wu
Typeset	Lin Minxia, Amanda Wu

Published by
JOINT PUBLISHING (H.K.) CO., LTD.
Rm. 1304, 1065 King's Road, Quarry Bay, Hong Kong

Distributed by
SUP PUBLISHING LOGISTICS (HK) LTD.
3/F., 36 Ting Lai Road, Tai Po, N.T., Hong Kong

First published February 2002
Second edition, first impression, August 2006

You can contact us via the following:
Tel: (852) 2525 0102, (86) 755 8343 2532
Fax: (852) 2845 5249, (86) 755 8343 2527
Email: publish@jointpublishing.com
http://www.jointpublishing.com/cheasy/

輕鬆學漢語 （練習冊三）
編　著　馬亞敏　李欣穎

責任編輯	陳翠玲　羅　芳
美術策劃	王　宇　馬亞敏　李欣穎
封面設計	王　宇　吳冠曼
版式設計	吳冠曼
排　版	林敏霞　吳冠曼

出　版	三聯書店（香港）有限公司
	香港鰂魚涌英皇道1065號1304室
發　行	香港聯合書刊物流有限公司
	香港新界大埔汀麗路36號3字樓
印　刷	深圳市德信美印刷有限公司
	深圳市福田區八卦三路522棟2樓
版　次	2002年2月香港第一版第一次印刷
	2006年8月香港第二版第一次印刷
規　格	大16開 (210 x 280mm) 208面
國際書號	ISBN-13: 978 · 962 · 04 · 2599 · 8
	ISBN-10: 962 · 04 · 2599 · 5

Authors' acknowledgments

We are grateful to all the following people who have helped us to put the books into publication:

- Our publisher, 李昕, 陳翠玲 who trusted our ability and expertise in the field of Mandarin teaching and learning, and supported us during the period of publication
- Professor Zhang Pengpeng who inspired us with his unique and stimulating insight into a new approach to Chinese language teaching and learning
- Mrs. Marion John who edited our English and has been a great support in our endeavour to write our own textbooks
- 張誼生, Vice Dean of the Institute of Linguistics, Shanghai Teachers University, who edited our Chinese
- Arthur Y. Wang, 于霆, 萬瓊, 高燕, 張慧華, Annie Wang for their creativity, skill and hard work in the design of art pieces. Without Arthur Y. Wang's guidance and artistic insight, the books would not have been so beautiful and attractive
- 梁玉熙 who assisted the authors with the sound recording
- Our family members who have always supported and encouraged us to pursue our research and work on this series. Without their continual and generous support, we would not have had the energy and time to accomplish this project

Contents 目　錄

第四單元　買東西

第五單元　居住環境

第一單元　身　體

第一課　他的個子挺高的

1 Match the pictures with the words in the box.

(a) 眼睛	(b) 鼻子
(c) 舌頭	(d) 牙
(e) 下巴	(f) 嘴巴
(g) 皮膚	(h) 腳
(i) 耳朵	(j) 臉
(k) 手指頭	(l) 頭髮

2 Fill in the blanks with the words in the box.

(1) 我用 ___眼睛___ ___看書___ 。

(2) 我用 _____ _____ 。

(3) 我用 _____ _____ 。

(4) 我用 _____ _____ 。

(5) 我用 _____ _____ 。

腳	眼睛	耳朵
手	寫字	走路
看書	說話	聽音樂
踢足球	嘴巴	彈鋼琴

1

3 Match the pictures with the descriptions.

ⓐ

ⓑ
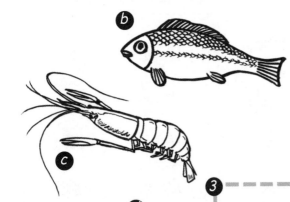

ⓒ

ⓓ

ⓔ

ⓕ

❶ 它們身上有羽毛，有好多種顏色。它們會飛，喜歡吃小蟲子。

❷ 它們喜歡吃魚。因為它們的眼睛晚上也能看見東西，所以它們通常晚上"上班"，白天睡覺。

❸ 它們是灰色的，身體又高又大，有大大的耳朵、長長的鼻子。它們的牙又長又白。

❹ 它們的身體是長長的，生活在水裏，會游泳，冬天不怕冷。

❺ 它們生在水裏，長在水裏，有大的，也有小的，它們有很多腳。

❻ 它們身上的毛有白也有黑。它們的眼睛是黑色的。它們喜歡吃竹子，還喜歡睡覺。

4 Give the meanings of the following phrases.

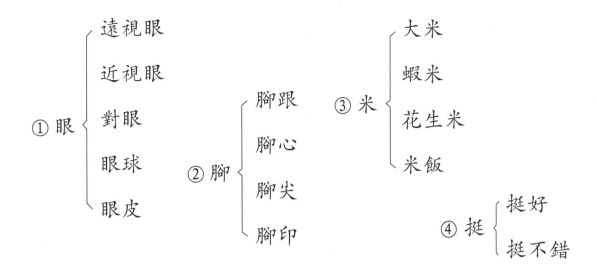

① 眼 ⎰ 遠視眼
⎱ 近視眼
⎰ 對眼
⎱ 眼球
⎱ 眼皮

② 腳 ⎰ 腳跟
⎱ 腳心
⎰ 腳尖
⎱ 腳印

③ 米 ⎰ 大米
⎱ 蝦米
⎰ 花生米
⎱ 米飯

④ 挺 ⎰ 挺好
⎱ 挺不錯

5 Read the description. Write a similar one about a pet or a person.

姓名：王天城（男）

歲數：30歲左右

身高：1.85米

體重：82公斤

膚色：棕色

眼睛：棕色

頭髮：黑色短髮

長相：眼睛不太大、高鼻子、大嘴巴、大耳朵

Warning:

請大家不要走近他。

請電：2500 2600

6 Fill in the blanks with the words in the box.

多大　多高　多遠　多重　多長　多少度　多長時間

(1) 今天氣温有_____？ (what is the temperature)

(2) 這小孩有_____？ (how heavy)

(3) 你家離學校有_____？ (how far)

(4) 你今年_____了？ (how old)

(5) 你弟弟有_____？ (how tall)

(6) 你們學校一節課有_____？ (how long)

(7) 這條褲子有_____？ (what is the length)

7 Choose the correct meaning for the dotted phrase.

(a) 耳 ear　(b) 目 eye

(1) 聾子的耳朵聽不見。　(a) dragon　(b) deaf　(c) ear

(2) 最近有沒有聽到什麼新聞？　(a) new　(b) inquiry　(c) news

(3) 盲人的眼睛看不見。　(a) blind　(b) dead　(c) short-sighted

(4) 你可以睜開眼睛了。　(a) kite　(b) open　(c) fight

(5) 小孩子一天的睡眠時間要10個小時。

(a) sleep　(b) asleep　(c) play

4

8 Reading comprehension. Tell if the following statements are true or false.

❶ 張先生長得不高。他的頭很大。他的頭髮是黑色的。他的眼睛很小，鼻子很大，嘴巴也很大。他的手不大，但是他的腳很大。他穿九號的鞋。他的肚子很大，因為他吃得多，從來都不運動。

❷ 張太太的身高有1.70米。她的頭髮挺長的，是黑色的。她的眼睛挺大的，鼻子和嘴巴都挺小。她的皮膚很白。她長得很好看。

❸ 他們的女兒，小雲，今年九歲。她長得挺高的，有1.30米。她的頭髮不長也不短。她的眼睛很大，鼻子很高，嘴巴很小。她長得像她媽媽。

( )(1) 張先生長得挺高的。

( )(2) 張先生的頭髮是棕色的。

( )(3) 張先生不喜歡運動。

( )(4) 張太太個子不高。

( )(5) 張太太身高不到1.60米。

( )(6) 張太太有大眼睛、小鼻子、小嘴巴。

( )(7) 小雲長得也挺好看的。

(1) 我父母親都是近視眼。

(2) 他爸爸是眼科醫生。

(3) 媽媽過生日那天，我買了很多花給她。

(4) 她的家很大，有300多平方米。

(5) 我今年過生日，爸爸會買一部相機給我。

10 Put some features to the following faces and then describe them in Chinese.

他的臉是方的。他的眼睛不大不小，鼻子挺高，嘴巴挺大的。他的耳朵不大。他長得挺不錯。

閱讀（一）　畫鬼最易

1　Give the meaning of each word.

① 舞 ＿＿＿＿＿＿＿
　無 ＿＿＿＿＿＿＿

② 拿 ＿＿＿＿＿＿＿
　答 ＿＿＿＿＿＿＿

③ 數 ＿＿＿＿＿＿＿
　樓 ＿＿＿＿＿＿＿

④ 些 ＿＿＿＿＿＿＿
　紫 ＿＿＿＿＿＿＿

⑤ 衫 ＿＿＿＿＿＿＿
　影 ＿＿＿＿＿＿＿
　彩 ＿＿＿＿＿＿＿
　形 ＿＿＿＿＿＿＿

2　Translation.

(1) in ancient times

(2) What is the most difficult thing to draw?

(3) Ghost is the easiest thing to draw.

(4) do not understand

(5) everybody knows

(6) It is invisible.

3　Give the meanings of the following phrases.

① 鬼
鬼地方
鬼天氣
鬼話
做鬼臉
酒鬼

② 無
無力
無風
無人
無用
無常
無數

③ 些
這些
那些
一些

④ 狗
狗熊
熱狗

第二課　她長得很漂亮

1 Write the pinyin and meanings of the following words / phrases.

(1) 個子 ＿＿＿＿ ＿＿＿＿

(2) 漂亮 ＿＿＿＿ ＿＿＿＿

(3) 胖 ＿＿＿＿ ＿＿＿＿

(4) 眼鏡 ＿＿＿＿ ＿＿＿＿

(5) 瘦 ＿＿＿＿ ＿＿＿＿

(6) 金黃色 ＿＿＿＿ ＿＿＿＿

(7) 一般 ＿＿＿＿ ＿＿＿＿

(8) 鬈髮 ＿＿＿＿ ＿＿＿＿

(9) 雖然 ＿＿＿＿ ＿＿＿＿

(10) 直髮 ＿＿＿＿ ＿＿＿＿

2 Describe the following people.

Example

她看上去不到三十歲。

她長得挺不錯的。

Useful Phrases:

(1) 不到二十歲

(2) 六十多歲

(3) 四十歲左右

(4) 二十歲以上

(5) 五十歲以下

(6) 長得漂亮／難看

(7) 長得一般

(8) 長得挺不錯

(9) 長得很可愛

❶ 　❷ 　❸ 　❹

❺ 　❻ 　❼ 　❽

3 Compare the two photos.

五年前　　　　高明　　　　高明　　　　現在

小花　　　　　　　　　　　　　　小花

( )(1) 小花五年前比現在瘦。

( )(2) 小貓五年前比現在胖。

( )(3) 五年前小花的頭髮比現在短。

( )(4) 高明五年前比現在胖一點兒。

( )(5) 五年前高明的頭髮比現在長很多。

( )(6) 五年前小花的高跟鞋沒有現在尖。

4 Answer the following questions.

(1) 你的英語老師長得什麼樣？

(2) 你爸爸的身高是多少？

(3) 你的體重是多少？

(4) 你的數學老師戴眼鏡嗎？

(5) 你長得像誰？

(6) 你媽媽的頭髮是鬈髮嗎？

5 Translation.

(1) I am two years older than my little sister.

(2) My father is much taller than me.

(3) My hair is a bit shorter than my mother's.

(4) My little brother is 2 kilograms heavier than me.

(5) My shoes are nicer than my older sister's.

6 Fill in the blanks with Chinese characters.

1

他看上＿＿很老。他長得很難＿＿。他眼＿＿很小，鼻子又高＿＿大，嘴巴也很大。他頭＿＿很少。他肚＿＿很大。他穿＿＿裝、戴領帶。他的西裝不合身。

2

她＿＿得漂亮。她的臉是長的。她＿＿大眼睛、高鼻子、小嘴巴。她長得很瘦，個子又高。她的＿＿髮不長，是鬈髮。她穿連＿＿裙和高跟鞋。

3

他看上去不到二十歲，像一個學＿＿。他的頭髮挺長的。他的臉是長的。他有大＿＿睛、大＿＿子、大嘴巴。他長得不胖。他穿汗衫和＿＿褲。

4

她看上去有五十歲。她長得又矮又胖，＿＿很醜。她的頭髮是鬈髮，不長＿＿不短。她的眼睛很小、鼻子很大、嘴巴也很大。她穿襯衫和裙＿＿。

7 Translation.

(1) 要是你作業做完了，就玩一會兒電腦遊戲。

(2) 要是你唱歌唱得好，就可以參加學校的合唱隊。

(3) 要是你想學彈鋼琴，我就給你找一位老師。

(4) 要是你沒有帶午飯，你可以去小賣部買飯吃。

(5) 要是明天颳大風，我們就不能去打羽毛球了。

(6) 要是明天天晴，我們就去海邊曬太陽。

(7) 要是明天有時間，我們就可以去故宮看看。

8 Match the sentences in column A with the ones in column B.

A

(1) 雖然吳老師很嚴格，

(2) 他雖然是弟弟，

(3) 她雖然學習很用功，

(4) 雖然今天氣溫是 -5℃，

(5) 雖然他父母親都戴眼鏡，

(6) 他雖然長得不好看，

(7) 他雖然長得不高，

B

(a) 但是他比哥哥長得高。

(b) 但是我不覺得冷。

(c) 但是同學們都很喜歡他。

(d) 但是心地好，有很多朋友。

(e) 但是打籃球打得很好。

(f) 但是每次考試都考得不太好。

(g) 但是他的視力很好。

1 這個女人又高又瘦。她穿毛衣、裙子和皮鞋。她長得挺好看。

2 這個男人不胖不瘦，不難看。他的頭髮很短。他穿運動衣和球鞋。

3 這個男人長得不錯。他穿條子汗衫、長褲和皮鞋。

4 這個女人長得很矮，也很胖。她的頭髮很多，也很黑，是鬈髮。

5 這個女學生正在畫畫。她長得很瘦。她的頭髮很長，是直髮。

6 他是醫生。他長得不瘦。他的頭髮很少。他有鬍子。

7 這個男人穿毛衣、長褲和皮鞋。他戴帽子。他看上去五十多歲。

8 這個男人穿西裝、戴領帶。他長得不胖不瘦。他看上去五、六十歲，像個大學老師。

10 Read the following notices. Answer the questions.

(1) 七月二十八日晚上八點，學校有什麼活動？

(2) 要是你想看排球比賽，你哪天要去學校？

(3) 暑假期間，學生們哪天可以用學校的電腦？

(4) 要是你參加了學校的國畫班，你哪天上課？在哪兒上課？

(5) 要是你參加了學校的籃球隊，你哪天有比賽？

11 Choose the best answer.

(1) 你覺得你長得胖還是瘦？

(a) 太胖　　(b) 胖　　(c) 正好　　(d) 瘦　　(e) 太瘦

(2) 你覺得你長得高還是矮？

(a) 太高　　(b) 高　　(c) 正好　　(d) 太矮

(3) 你覺得你自己長得好看嗎？

(a) 很好看　　(b) 一般　　(c) 不好看　　(d) 很醜

(4) 你長得像誰？　(a) 像爸爸　　(b) 像媽媽　　(c) 誰也不像

(5) 你身體好嗎？　(a) 很好　　(b) 一般　　(c) 不太好　　(d) 不好

12 Give the meanings of the following phrases.

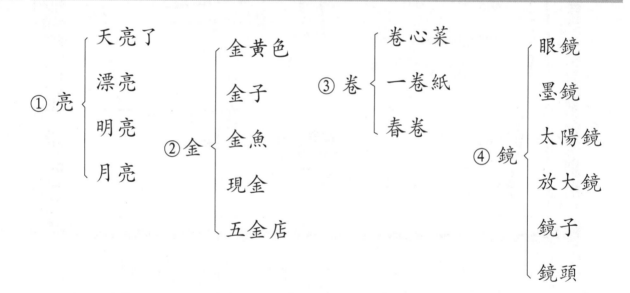

① 亮 ─ 天亮了 / 漂亮 / 明亮 / 月亮

② 金 ─ 金黃色 / 金子 / 金魚 / 現金 / 五金店

③ 卷 ─ 卷心菜 / 一卷紙 / 春卷

④ 鏡 ─ 眼鏡 / 墨鏡 / 太陽鏡 / 放大鏡 / 鏡子 / 鏡頭

13 Find a family photo and then describe each member of the family. You may comment on whether they look like each other.

Useful Phrases:

個子	長	得	像	高	矮	胖	瘦	好看	漂亮
一般	戴眼鏡	頭髮	直髮	鬈髮	可愛			

閱讀（二） 楊布打狗

1 Answer the questions.

(1) 楊布出門的時候穿的是什麼顏色的衣服？

(2) 楊布爲什麼從他朋友那兒借衣服穿？

(3) 楊布回家時，他的狗爲什麼不認識他了？

2 Give the meaning of each word.

① 楊 _____
　 場 _____

② 成 _____
　 城 _____

③ 錯 _____
　 借 _____

④ 友 _____
　 布 _____

3 Translation.

(1) one day

(2) He borrowed a set of clothes from a friend.

(3) The dog thought he was a stranger.

(4) As he was saying, he was about to beat the dog.

(5) think it over

(6) It turned into a black dog on its return.

4 Give the meanings of the following phrases.

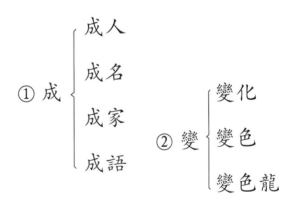

① 成 — 成人 / 成名 / 成家 / 成語

② 變 — 變化 / 變色 / 變色龍

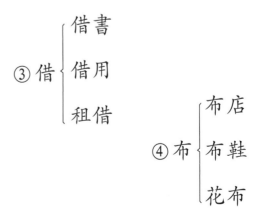

③ 借 — 借書 / 借用 / 租借

④ 布 — 布店 / 布鞋 / 花布

第三課　我生病了

1 Write the pinyin and meanings for the following phrases.

(1) 生病＿＿＿＿＿＿＿ ＿＿＿＿＿＿

(2) 舒服＿＿＿＿＿＿＿ ＿＿＿＿＿＿

(3) 頭痛＿＿＿＿＿＿＿ ＿＿＿＿＿＿

(4) 嗓子疼＿＿＿＿＿ ＿＿＿＿＿＿

(5) 發燒＿＿＿＿＿＿＿ ＿＿＿＿＿＿

(6) 咳嗽＿＿＿＿＿＿＿ ＿＿＿＿＿＿

(7) 感冒＿＿＿＿＿＿＿ ＿＿＿＿＿＿

(8) 嚴重＿＿＿＿＿＿＿ ＿＿＿＿＿＿

(9) 喝水＿＿＿＿＿＿＿ ＿＿＿＿＿＿

(10) 病假條＿＿＿＿＿ ＿＿＿＿＿＿

2 Look at the layout of a hospital below.

京西醫院

三樓	男病房	女病房	手術室	男／女廁所
二樓	婦科	手術室	牙科	眼科
一樓	兒科	外科	X-光室	實驗室

( )(1) 小孩子看病在一樓。

( )(2) 婦科在二樓。

( )(3) 二樓、三樓都有手術室。

( )(4) X-光室在廁所隔壁。

( )(5) 京西醫院裏沒有眼科。

( )(6) 男病房在女病房的樓下。

( )(7) 外科在實驗室隔壁。

( )(8) 婦科在兒科的樓上。

16

3 Make new dialogues.

Example

A: 你哪兒不舒服？

B: 我頭痛。

A: 你應該多喝水、少說話、多休息。

頭痛

❶ 肚子疼

❷ 嗓子疼

❸ 感冒

❹ 咳嗽

❺ 牙疼

ADVICE

—多睡覺

—不要去人多的地方

—多穿點兒衣服

—少說話

—不要吃冷的東西

—可以吃點兒麵條

—多休息

—在家休息幾天

—多喝水

4 Translation.

(1) 對眼

(2) 近視眼

(3) 遠視眼

(4) 老花眼

(5) 外科醫生

(6) 婦科醫生

(7) 兒科醫生

(8) 眼科醫生

(9) 牙科醫生

(10) 皮膚科

(11) 流行病

(12) 流感

5 Match the condition in column A with the suggestion in column B.

A

(1) 你要是牙疼，

(2) 你要是發燒，

(3) 你要是拉肚子，

(4) 你要是頭疼，

(5) 你要是嗓子疼，

(6) 你要是覺得冷，

B

(a) 就應該多喝水，多休息。

(b) 就應該去看牙醫。

(c) 就應該少說話。

(d) 就應該多穿點兒衣服。

(e) 就不應該喝牛奶。

(f) 就應該吃頭疼藥。

6 Circle the phrases. Write them out.

嗓	子	感	到	病
舒	女	冒	過	假
服	發	燒	麵	條
牙	疼	現	包	子
嚴	重	要	一	些

(1) _____   (6) _____

(2) _____   (7) _____

(3) _____   (8) _____

(4) _____   (9) _____

(5) _____   (10) _____

7 Translation.

(1) 這些衣服我都不喜歡。

(2) 有些人生了病喜歡吃中藥。

(3) 這些書我都看過了。

(4) 那些包都是皮的。

(5) 我的一些朋友是中國人。

(6) 那些筆是我爸爸的。

(7) 這些小人書是我弟弟的。

(8) 這些茶葉是我從中國買來的

18

8 Reading comprehension. Answer the questions.

王金寶 外科醫生 ⓐ

電話：2674 3865（辦）

手機：9435 8864

看病時間：每星期一～星期五
全天 8:30-18:30
周末休息

馬美心 婦科醫生 ⓑ

電話：2864 7711（辦）

手機：9138 2200

看病時間：每周二、四、六
上午 8:00-12:00
下午 2:00-6:30
星期日及公共假日
上午 10:00-13:00

張清生 兒科醫生 ⓒ

（英國皇家醫學院）

電話：2716 2020（辦）

手機：9003 8829

看病時間：星期六、日
上午 9:00-13:30

史偉明 牙科醫生 ⓓ

電話：2435 8200（辦）

手機：9211 7788

看病時間：每周一、三、五
上午 9:00-12:30

(1) 小明奶奶的腳疼了好幾天了。她要去看哪個醫生？她可不可以周末去看醫生？

(2) 王先生要看牙醫。他去看哪位醫生？他哪天不可以去？

(3) 馬美心是兒科醫生嗎？她中秋節這天上班嗎？

(4) 哪位醫生周末工作？哪位醫生周末不工作？

(5) 哪位醫生星期一到星期五不工作？

王老師：

夏方昨天晚上開始發燒，今天上午我要帶她去看醫生，所以她不能去上學了。請病假一天。多謝。

夏方的媽媽

2006 年 2 月 9 日

(1) 這張病假條是誰寫的？

(2) 夏方今天爲什麼不能上學？

(3) 夏方要請幾天病假？

(4) 她從什麼時候開始發高燒？

10 Choose the correct meaning for the dotted word / phrase.

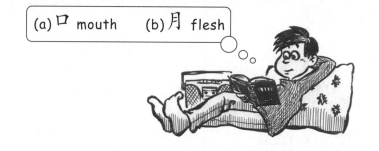

(a) 口 mouth　　(b) 月 flesh

(1) 啞巴就是不能說話的人。　　(a) mute　(b) Asia　(c) stutter

(2) 這個電影非常嚇人，小孩子最好不要看。

(a) person　(b) scary　(c) below

(3) 他昨晚肚子疼，還吐了。　　(a) soil　(b) earth　(c) vomit

(4) 他爺爺有心臟病。　　(a) heart disease　(b) lung disease　(c) cancer

(5) 不要吵了，爸爸正在打電話。　　(a) make a noise　(b) small　(c) less

11   Reading comprehension.

王然

True or false?

( )(1) 2 月 14 日王然沒去上學。

( )(2) 2 月 14 日他也沒吃晚飯。

( )(3) 2 月 15 日他去上學了。

( )(4) 2 月 15 日他還發燒。

( )(5) 2 月 15 日他自己去看醫
　　　生了。

( )(6) 2 月 16 日他感覺好多了。

( )(7) 2 月 16 日他不發燒了，
　　　但還有一點兒咳嗽。

( )(8) 2 月 17 和 18 日他去上學
　　　了。

2001 年 2 月 14 日星期三　　天氣：陰
　　　昨天很暖和。我以為今天的氣溫會跟昨天的一樣，所以沒有穿外套就去上學了。放學回家以後，我感到頭疼，全身發冷，我發燒了。吃晚飯時，我不想吃東西。我八點鐘就睡覺了。

2001 年 2 月 15 日星期四　　天氣：雨
　　　今天天氣很冷，又下雨，我沒有去上學。早上媽媽寫了一張病假條給張老師。我還發燒，又開始咳嗽。媽媽下班後帶我去看了醫生。醫生給我開了一些藥，他叫我在家休息幾天。

2001 年 2 月 16 日星期五　　天氣：雨
　　　我吃了藥，覺得好多了，不發燒了，咳嗽也好一點兒了。媽媽說我再休息兩天，下星期一就可以去上學了。

閱讀（三）　　鐵棒磨針

1 Translation.

(1) half done

(2) He put down his book and then went out to play.

(3) to grind an iron rod on a grindstone

(4) How can this be possible?

(5) after a considerable period of time

(6) from that day on

(7) Later he became the greatest poet in Chinese history.

2 Learn the following facts.

(1) 漢代（公元前 206 年－公元 220 年）

(2) 唐代（公元 618 年－ 907 年）

(3) 元代（公元 1271 年－ 1368 年）

(4) 明代（公元 1368 年－ 1644 年）

(5) 清代（公元 1644 年－ 1911 年）

3 Give the meanings of the following phrases.

① 棒 ｛ 木棒　鐵棒　棒球

③ 磨 ｛ 磨刀　磨光　磨牙

② 詩 ｛ 詩人　詩歌　唐詩

④ 久 ｛ 天長日久　不久　好久不見了

4 Write the pinyin and meaning of each word.

① ｛ 很 ＿＿＿＿　根 ＿＿＿＿　銀 ＿＿＿＿　跟 ＿＿＿＿

② ｛ 工 ＿＿＿＿　功 ＿＿＿＿

③ ｛ 易 ＿＿＿＿　踢 ＿＿＿＿

④ ｛ 奇 ＿＿＿＿　騎 ＿＿＿＿

⑤ ｛ 裏 ＿＿＿＿　理 ＿＿＿＿

第四課　我住院了

1 Categorize the words and phrases in the box.

頭	腳	發高燒	舌頭	手指頭	頭疼
手	腳疼	止痛片	耳朵	肚子疼	咳嗽
腳指頭	嘴巴	拉肚子	西藥	眼藥水	止咳藥水
臉	眼睛	退燒藥	鼻子	嗓子疼	中草藥

Parts of the body	Symptoms	Medicine
頭	發高燒	止咳藥水

2 Translation.

(1) 等你出院以後，我會幫你補習功課。

(2) 等我上中學時，就可以自己坐校車上學了。

(3) 等你病好了以後，我們就可以一起出去玩了。

(4) 等你考完試以後，就可以天天去踢球了。

(5) 等你做完作業以後，我們一起玩電腦遊戲。

(6) 等天氣好轉以後，我們就可以去外面打羽毛球了。

3 Match the Chinese with the English.

(1) 退燒藥   (a) Chinese medicine

(2) 止咳藥水   (b) tablet

(3) 打針   (c) pain-killer

(4) 補藥   (d) antipyretic

(5) 藥片   (e) eyedrops

(6) 中藥   (f) cough syrup

(7) 西藥   (g) Western medicine

(8) 止痛藥   (h) injection

(9) 眼藥水   (i) tonic

4 Circle the phrases. Write them out.

重	量	體	溫	着
止	退	育	度	急
咳	動	燒	烤	補
藥	手	中	藥	房
水	術	關	心	康

(1) _____   (5) _____

(2) _____   (6) _____

(3) _____   (7) _____

(4) _____   (8) _____

5 Translation.

(1) 別在房間裏踢球！

(2) 別在新書上寫字！

(3) 別在這裏騎自行車！

(4) 你除了想去北京以外，還想去別的地方嗎？

(5) 你還想吃點兒別的東西嗎？

(6) 你除了要買褲子以外，還要買別的衣服嗎？

(7) 你做完數學作業以後，還有別的作業要做嗎？

(8) 你除了喜歡運動以外，還有別的愛好嗎？

24

6 Find the opposites.

(1) 問
(2) 胖
(3) 直髮
(4) 住院
(5) 有
(6) 着急
(7) 難
(8) 不同
(9) 漂亮

(a) 鬈髮
(b) 回答
(c) 瘦
(d) 無
(e) 出院
(f) 難看
(g) 一樣
(h) 容易
(i) 放心

7 Match the pictures with the Chinese.

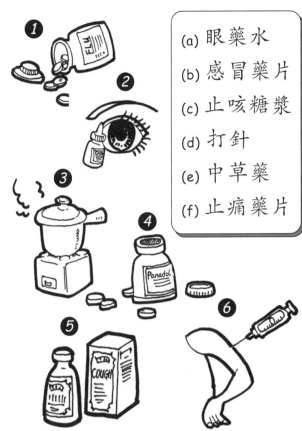

(a) 眼藥水
(b) 感冒藥片
(c) 止咳糖漿
(d) 打針
(e) 中草藥
(f) 止痛藥片

8 Choose the correct meaning for the dotted phrase.

(a) 疒 sickness   (b) 火 fire

(1) 他弟弟出水痘了，不能去上學。

(a) chicken pox   (b) pain   (c) disease

(2) 常曬太陽容易得皮膚癌。 (a) lung cancer   (b) skin cancer   (c) sunburn

(3) 開刀後的第三天，他的刀口發炎了。

(a) fire   (b) open   (c) inflammation

(4) 這個周末我們去李明家燒烤。 (a) barbeque   (b) burn   (c) grill

(5) 針灸可以止痛。 (a) needle   (b) acupuncture   (c) injection

9 Fill in the blanks with the words/phrases in the box. Each word can only be used once.

(1) 小文這幾天＿＿＿＿＿＿，不能吃東西，只能喝＿＿＿＿＿＿。

(2) 小雷今天 ＿＿＿＿＿＿、＿＿＿＿＿＿。

(3) 張小姐這幾天 ＿＿＿＿＿＿，不能説話。

(4) 他做功課做了五個小時，他 ＿＿＿＿＿＿了。

(5) 天氣變化太大，人們容易得 ＿＿＿＿＿＿。

(6) 他這次感冒挺嚴重的，＿＿＿＿＿＿了一個多月。

(7) 小山吃飯吃得太 ＿＿＿＿＿＿，＿＿＿＿＿＿了。

(8) 你發燒了。讓我給你 ＿＿＿＿＿＿體溫。

```
(a) 嗓子疼   (b) 38℃   (c) 牛奶   (d) 牙疼   (e) 咳嗽   (f) 量一下

(g) 肚子疼   (h) 快    (i) 感冒   (j) 頭疼   (k) 發燒
```

10 Finish the following sentences.

(1) 因爲他生病了，所以 ＿＿他今天沒有去上學＿＿。

(2) 因爲我吃了止痛藥，所以今天下午我覺得＿＿＿＿＿＿＿＿。

(3) 因爲她今天嗓子疼，所以 ＿＿＿＿＿＿＿＿＿＿＿＿。

(4) 因爲我弟弟腳疼，所以 ＿＿＿＿＿＿＿＿＿＿＿。

(5) 因爲他發高燒，所以 ＿＿＿＿＿＿＿＿＿＿＿＿。

(6) 因爲王方吃東西吃得不多，所以 ＿＿＿＿＿＿＿＿＿＿＿。

(7) 因爲他這次生病動了手術，所以 ＿＿＿＿＿＿＿＿＿＿＿。

(8) 因爲他怕打針，所以＿＿＿＿＿＿＿＿＿＿＿＿。

11 Fill in the form about yourself.

姓名：	男☐ 女☐	
出生日期：	年　　月　　日	
身高：　　　米	體重：　　　公斤	
有沒有住過院？有☐　沒有☐		
有沒有動過手術？有☐沒有☐		
是不是在服藥？是☐　　否☐		

12 Match the Chinese with the English.

(1) 對人和氣　　　(a) generous

(2) 關心別人　　　(b) enthusiastic

(3) 熱心　　　　　(c) be kind to people

(4) 心地好　　　　(d) mean

(5) 小氣　　　　　(e) narrow-minded

(6) 大方　　　　　(f) care for others

(7) 小心眼兒　　　(g) good-natured

13 Translation.

親愛的家正：你好！

　　你的病好一點兒了嗎？現在感覺怎麼樣？還發燒嗎？醫院裏的大夫、護士對你好嗎？醫院裏的飯好不好吃？你白天在醫院裏幹什麼？我們周末會來看你。你別着急，好好養病。等你病好了以後，我們會幫你補習功課。

　　　　祝你早日康復！

　　　　　　你的朋友：楊光、張英

　　　　　　2006 年 2 月 17 日

楊光、張英：你們好！

　　謝謝你們的卡片。我在醫院已經住了六天了，感覺好多了。有時候我覺得挺沒有意思。我白天在床上看書、聽音樂。真想回學校上課，跟你們一起玩。這裏的醫生和護士對我都很好。醫院裏的飯不太好吃，但也不太難吃。

　　好了，不多寫了。

　　祝你們學習好，身體好！

唐家正

2006 年 2 月 19 日

(1) 誰住院了？

(2) 他在醫院裏已經住了幾天了？

(3) 他白天在醫院裏做什麼？

(4) 他想不想回學校上課？

(5) 醫院裏的飯菜好吃嗎？

(6) 醫院裏的大夫和護士對他怎麼樣？

(7) 他是幾號住院的？

15 Read the passages below. Then write your comments.

❶ 我經常會感冒，一般每兩個月得一次感冒。通常我不會去看醫生，因爲我覺得吃藥沒有用。我覺得只要多喝水、多休息，過幾天就會好的。

❷ 我一般不感冒。感冒的時候會覺得全身不舒服，不想吃東西。我有時也會發燒，但是燒得不高，一般38℃左右。通常我不去看西醫，我會去中藥房買一些中藥吃。我覺得中藥比西藥有用。

❸ 我一生病就去看醫生。因爲我不知道我的病嚴重不嚴重，只有醫生知道。我不怕吃藥。每次生病我一吃藥就好。

16 Fill in the blanks with "從"、"給"、"在"、"爲"。

(1) 有位畫師＿＿＿＿齊王畫畫兒。

(2) 楊布＿＿＿＿朋友家借了一套衣服。

(3) 媽媽＿＿＿＿我買了一套中國成語故事書。

(4) 昨天他打了一個電話＿＿＿＿我。

(5) 老奶奶 ＿＿＿＿磨刀石上磨鐵棒。

(6) 他不 ＿＿＿＿家。他出去玩了。

(7) 醫生今早 ＿＿＿＿他動了手術。

(8) 你千萬別＿＿＿＿功課着急。出院以後我會幫你補課。

生詞

第一課　挺　下巴　耳朵　眼睛　嘴巴　舌頭　皮膚　肚子

手指頭　身高　體重　1.82米（一米八二）　長相

鬼　齊王　回答　狗　明白　這些　看見　要是　看出來
無形無影

第二課　漂亮　鋼琴家　胖　瘦　矮　眼鏡　鬈髮　金黃色　直

雖然……，但是……　一般　可愛

楊　布　濕　借　以爲　生人　生氣　變成　馬
上　認出

第三課　生病　舒服　頭痛　嗓子　疼　咳嗽　發燒　發現　嚴重

感冒　開藥　一些　喝　病假條

鐵棒　磨刀石　唐代　詩人　李白　放下　根　好奇
幹什麼　天長日久　道理　於是　從那天起　後來

第四課　住院　出院　幫　量體溫　重感冒　退燒藥（片）

止咳藥水　動手術　關心　刀口　千萬　別

爲……着急　補課　養病　祝　康復　安心

總複習

1. Parts of the body and appearance

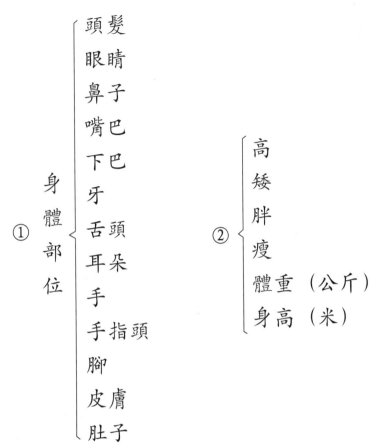

① 身體部位
- 頭髮
- 眼睛
- 鼻子
- 嘴巴
- 下巴
- 牙
- 舌頭
- 耳朵
- 手
- 手指頭
- 腳
- 皮膚
- 肚子

②
- 高
- 矮
- 胖
- 瘦
- 體重（公斤）
- 身高（米）

③ 長相
- 漂亮
- 好看
- 一般
- 鬈髮
- 直髮
- 戴眼鏡
- 圓臉
- 長臉
- 方臉

2. Illness

①
- 生病
- （重）感冒
- 不舒服
- 頭痛
- 牙疼
- 嗓子疼
- 肚子疼
- 咳嗽
- 發燒
- 拉肚子

②
- 打針
- 吃藥
- 量體溫
- 開刀
- 動手術
- 住院
- 出院

③ 藥
- 止痛藥片
- 止咳藥水
- 退燒藥
- 眼藥水
- 中草藥
- 西藥

④ 服藥 ⎰ 每天三次
　　　　 每次一片（一格）
　　　　 每四小時吃一次
　　　　 飯前吃（飯後吃）

⑤ 短語 ⎰ 多喝開水
　　　　 多睡覺
　　　　 多休息
　　　　 好好養病
　　　　 千萬別着急
　　　　 祝你早日出院
　　　　 幫你補課

3. Opposites

(1) 提問→回答　　(2) 着急→安心　　(3) 高→矮　　(4) 胖→瘦

(5) 生病→康復　　(6) 住院→出院　　(7) 漂亮（美）→醜

(8) 好看→難看　　(9) 舒服→難過　　(10) 直→鬈　　(11) 無→有

4. Conjunction

雖然……，但是……

　　　雖然他吃了一個星期的藥，但是病還是沒有好。

5. Grammar

(1) 有 (estimation)

　　(a) 他的身高有 1.8 米，體重有 75 公斤。

　　(b) 北京離上海有 4,000 公里遠。

(2) Repetition of adjectives for emphasis

　　大大的眼睛、高高的鼻子

(3) "的" phrase

　　他的頭髮是黑色的。

(4) Comparison with complements

    (a) 哥哥比我大五歲。

    (b) 他比我高一頭。

    (c) 爸爸比媽媽高一點兒。

    (d) 他比我胖多了。

    (e) 今天比昨天熱多了。

(5) 別 ┤ don't   別説話了！老師在上課。

        └ other   還想吃別的東西嗎？

6. Radicals

目   月   矢   疒   火   犭   木   衤

7. Questions and answers

(1) 你有多高？（你身高是多少？）　1.65米（一米六五）。

(2) 你有多重？（你體重是多少？）　45公斤。

(3) 你長得像誰？　像媽媽。

(4) 你動過手術嗎？　沒有。

(5) 你住過院嗎？　住過一次。

(6) 你生病的時候是去看醫生，還是自己買藥吃？　看醫生。

(7) 你的頭髮是什麼顏色的？　黑色的。

(8) 你的頭髮是直髮還是鬈髮？　直髮。

(9) 你家養小動物嗎？　我養了一條狗。

33

測驗

1   Write the parts of the body in Chinese.

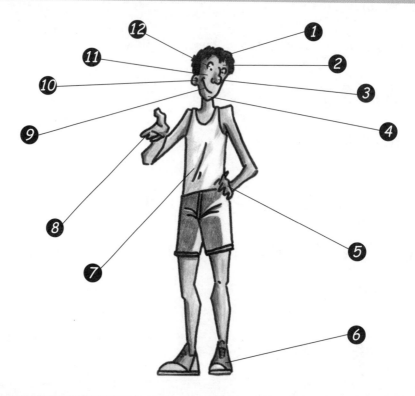

2   Find the odd one out.

(1) 身高   體重   長相   一些   (4) 直髮   鬈髮   頭髮   發燒

(2) 胖   矮   瘦   狗   (5) 唐詩   打針   吃藥   開刀

(3) 頭疼   濕   感冒   牙痛   (6) 火藥   中藥   西藥   藥片

3   Find the opposites.

(1) 高 _____   (6) 難看 _____

(2) 胖 _____   (7) 着急 _____

(3) 有 _____   (8) 住院 _____

(4) 問 _____   (9) 舒服 _____

(5) 醜 _____

出院   漂亮   美   無

瘦   難過   矮   答

安心

a

止痛藥

每四小時吃一次

成人每次吃 1－2 片

小孩吃半片

b

止咳藥水

每日喝三次

每次喝一格

飯前喝

c

退燒藥水

每四小時喝一次

每次喝一格

每天最多喝四次

要是燒不退，就應

該馬上去看醫生。

True or false?

( )(1) 止痛藥每三小時吃一次。

( )(2) 止痛藥小孩每次吃一片。

( )(3) 止咳藥水每天喝三格。

( )(4) 退燒藥水每次喝一格，一天最多喝四次。

5 Answer the following questions.

(1) 你有多高？

(2) 你長得像誰？

(3) 你最近生過病嗎？什麼病？

(4) 你住過院嗎？

(5) 你生病時吃中藥還是西藥？

(6) 你家養小動物嗎？養了什麼
動物？

(7) 你家裏人誰戴眼鏡？

6 Translation.

(1) How tall is your dad?

(2) How far is the bank from your home?

(3) I look like my mum.

(4) My elder sister is two years older than me.

(5) He is much taller than me.

(6) Today is much colder than yesterday.

7 | True or false?

( )(1) 感冒時你應該多休息。

( )(2) 要是你拉肚子，就應該喝牛奶。

( )(3) 有些人長得太胖是因為他們吃得太多，又不運動。

( )(4) 開刀就是動手術。

( )(5) 嗓子疼時要多說話，多吃東西。

( )(6) 游泳對身體很好。

( )(7) 李白是中國唐代的偉大詩人。

( )(8) "無"就是"沒有"的意思。

8 | Describe their appearance and clothes.

9 | Guided writing.

(1) Write a sick-leave note to your teacher, Mr. Wang, include the following:

　— give symptoms (at least 2)

　— say when you started to feel sick

　— ask for one day sick-leave

　— write proper beginning and ending

(2) Write an account of your recent illness, mention:

　— when you started to feel sick

　— what symptoms you had (at least 2)

　— what medicine you took

　— how long it took to recover

ⓐ

止痛藥

快速止痛，主治頭痛、感冒、傷風等症。每次一至兩片，每日三次。口服。

ⓑ

喉寶

專治嗓子疼。由中國廣西製藥廠研製。口服。每次兩片，嗓子疼時吃。

ⓒ

小兒退燒良藥

專門爲兒童研製的退燒藥。退燒快。每四小時喝一格。每天最多喝四次。如果高燒不退，應該馬上去看醫生。

ⓓ

迅速止瀉

專治由腸胃不適、飲食不乾淨而引起的拉肚子。每次吃一片，日服三次。

ⓔ

止痛止癢藥膏

專治由蚊蟲叮咬而引起的痛、癢等症。
用法：外用，塗於患處。

(1) 你要是頭痛，應該買哪種藥？

(2) 要是你拉肚子，應該買哪種藥？

(3) 拉肚子藥怎麼服用？

(4) "止痛止癢藥膏"可以口服嗎？

(5) 要是你嗓子疼，應該買哪種藥？

(6) 要是你小妹妹發燒了，她應該吃什麼藥？

(7) 服用"小兒退燒良藥"時，每天最多可以喝幾次？

(8) 哪種藥是藥水？

第二單元　中、西菜式

第五課　中國的貨幣叫人民幣

1 Match the currency with the country.

(1) 美元　　　　(a) 中國

(2) 人民幣　　　(b) 澳大利亞

(3) 加元　　　　(c) 美國

(4) 日元　　　　(d) 加拿大

(5) 澳元　　　　(e) 意大利

(6) 歐元　　　　(f) 英國

(7) 英鎊　　　　(g) 日本

2 Write the prices in Chinese.

(1) ￥3.64　三塊六毛四（分）

(2) ￥12.05 _____

(3) ￥76.40 _____

(4) ￥121.00 _____

(5) ￥274.12 _____

(6) ￥526.90 _____

(7) ￥9.00 _____

3 Write the pinyin and meanings for the following phrases.

(1) 貨幣 _____

(2) 花費 _____

(3) 兒童 _____

(4) 成人 _____

(5) 票價 _____

(6) 九角 _____

(7) 十元 _____

(8) 如果 _____

4 Circle the right word.

(1) 我花了 2000（塊／快）港
（幣／布）買了一部手機。

(2) 電影（要／票）多少錢一
張？

(3) 請問，兒（量／童）醫院
在哪兒？

(4) 每個星期媽媽都給我 100
（天／元）錢。

(5) 香港的生（話／活）費用很
高。

5 Fill in the blanks with the measure words in the box.

| 張 | 位 | 本 | 個 | 件 | 包 | 套 | 塊 | 條 | 部 | 隻 |

(1) 一 ＿＿＿ 歷史書

(2) 三 ＿＿＿ 文房四寶

(3) 兩 ＿＿＿ 褲子

(4) 一 ＿＿＿ 襯衫

(5) 一 ＿＿＿ 生日卡

(6) 一 ＿＿＿ 電腦

(7) 一 ＿＿＿ 手錶

(8) 一 ＿＿＿ 茶葉

(9) 四 ＿＿＿ 月餅

(10) 五 ＿＿＿ 糭子

(11) 兩 ＿＿＿ 電影票

(12) 一 ＿＿＿ 牛仔褲

(13) 一 ＿＿＿ 運動服

(14) 一 ＿＿＿ 大衣

(15) 十 ＿＿＿ 熊貓

(16) 一 ＿＿＿ 狗

(17) 一 ＿＿＿ 新教師

(18) 一 ＿＿＿ 電話

(19) 三 ＿＿＿ 貓

(20) 一 ＿＿＿ 圖書館

(21) 一 ＿＿＿ 圍巾

6 Match the words in column A with the ones in column B.

A

(1) 去禮堂

(2) 去電影院

(3) 去學校

(4) 去飯店

(5) 去海邊

(6) 去游泳池

(7) 去書店

(8) 去體育用品商店

B

(a) 上學

(b) 開會

(c) 曬太陽

(d) 買書

(e) 看電影

(f) 買運動服

(g) 吃晚飯

(h) 游泳

7 Find the phrases. Write them out.

日	本	很	少	百	動
港	元	國	家	貨	物
千	萬	人	民	幣	發
小	童	錢	大	花	電
成	如	醫	學	費	影
人	果	生	院	車	票

(1) ＿＿＿＿＿＿＿

(2) ＿＿＿＿＿＿＿

(3) ＿＿＿＿＿＿＿

(4) ＿＿＿＿＿＿＿

(5) ＿＿＿＿＿＿＿

(6) ＿＿＿＿＿＿＿

(7) ＿＿＿＿＿＿＿

(8) ＿＿＿＿＿＿＿

(9) ＿＿＿＿＿＿＿

(10) ＿＿＿＿＿＿＿

8 Study the dialogue below. Make a new dialogue.

電影《水上世界》	場 次	
成人票價： ¥25.00	11:30	5:20
兒童票價：半價	1:20	7:30
日期：6月9日－7月10日	3:30	9:20

Task

電影《我的父親、母親》

場次： 9:00　　12:00
　　　　15:00　　18:00

成人票價： ¥30.00

兒童票價： ¥20.00

日期：7月15日－8月15日

唐偉光：我要買《水上世界》的票。

服務員：要哪一場的？

唐偉光：晚上七點半的。

服務員：要前面一點的座位還是後面一點的？

唐偉光：後面一點的。

服務員：18排5號，可以嗎？

唐偉光：可以。多少錢一張？

服務員：成人25塊，兒童半價。你要買幾張？

唐偉光：兩張成人票。

服務員：一共50塊。

9 Give the meaning of each word.

① 塊 ＿＿＿＿　醜 ＿＿＿＿

② 果 ＿＿＿＿　課 ＿＿＿＿

③ 量 ＿＿＿＿　童 ＿＿＿＿

④ 布 ＿＿＿＿　幣 ＿＿＿＿

⑤ 界 ＿＿＿＿　男 ＿＿＿＿

⑥ 要 ＿＿＿＿　票 ＿＿＿＿

⑦ 成 ＿＿＿＿　城 ＿＿＿＿

⑧ 劇 ＿＿＿＿　刷 ＿＿＿＿

10 Translation.

(1) 昨天我花了128塊錢，買了一件長大衣。

(2) 爸爸不讓我花太多的時間看電視。

(3) 今天作業很少，我只花了20分鐘就做完了。

(4) 我花了300塊錢給爸爸買了一條領帶。

(5) 母親節那天我花了250塊錢給媽媽買了一件毛衣。

11 Give the meanings of the following phrases.

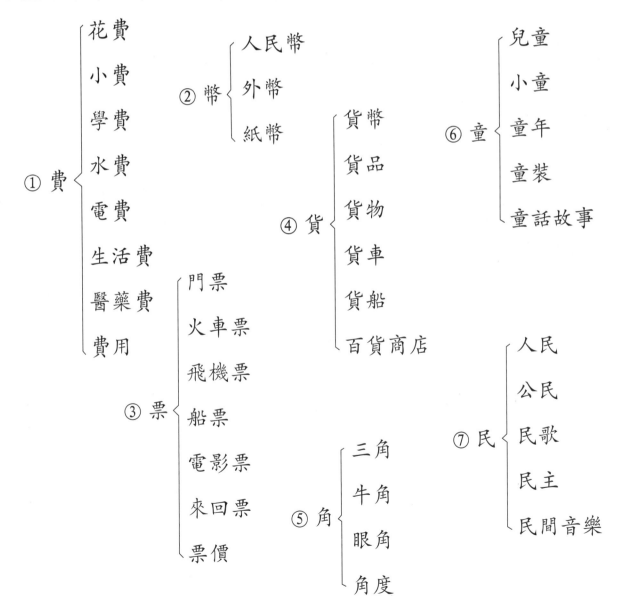

① 費 ─ 花費
　　　　小費
　　　　學費
　　　　水費
　　　　電費
　　　　生活費
　　　　醫藥費
　　　　費用

② 幣 ─ 人民幣
　　　　外幣
　　　　紙幣

③ 票 ─ 門票
　　　　火車票
　　　　飛機票
　　　　船票
　　　　電影票
　　　　來回票
　　　　票價

④ 貨 ─ 貨幣
　　　　貨品
　　　　貨物
　　　　貨車
　　　　貨船
　　　　百貨商店

⑤ 角 ─ 三角
　　　　牛角
　　　　眼角
　　　　角度

⑥ 童 ─ 兒童
　　　　小童
　　　　童年
　　　　童裝
　　　　童話故事

⑦ 民 ─ 人民
　　　　公民
　　　　民歌
　　　　民主
　　　　民間音樂

1 張太太：我想買大衣。

2 服務員：您要長大衣還是短大衣？

3 張太太：太長的、太短的，我都不要。

4 服務員：您試一下這件綠色的。

5 張太太：親愛的，我穿這件好看嗎？

6 張先生：

7 張太太：

8 服務員：

9 張太太：

10 服務員：

11 張太太：

12 服務員：

Useful Phrases:

大衣

長大衣

短大衣

連衣裙

太長的

太短的

試穿一下

好看

非常漂亮

別的式樣

什麼顏色

同樣的顏色

多少錢

❶ 中、小學數學班

時間：上午：10:00 — 11:00

11:00 — 12:00

下午：2:00 — 3:00

4:00 — 5:00

教師：大學生及老師

學費：每小時150元港幣

地點：香港數學中心

Answer the questions.

(1) 誰可以參加數學班？

(2) 如果你每天 3:30 分放學，可以上哪一班數學課？

(3) 教數學的老師是誰？

(4) 數學班在哪兒上課？

❷ 漢語暑期班

班級：初級班、中級班、高級班

上課時間：

初級班：周一、三 8:00 — 9:30 AM

中級班：周二、五 10:00 — 11:30 AM

高級班：周四、六 11:00 — 12:30 AM

學期：六周

教師：北京大學中文系老師

學費：每期人民幣600元

地點：北京大學漢語中心

Answer the questions.

(1) 如果你以前學過一點兒漢語，你應該參加哪一個漢語班？

(2) 初級漢語班每周上幾小時的課？

(3) 如果你想上高級漢語班，什麼時候上課？

(4) 上課的地點在哪兒？

14 Translation.

(1) 如果明天下大雨，我們就不去長城了。

(2) 如果你不好好複習，下星期的數學考試你就可能考不及格。

(3) 如果這個周末你有空兒，我們可以去看電影。

(4) 如果你對中國畫感興趣，我可以幫你找一個老師。

15 Reading comprehension.

<table>
<tr><td colspan="2" align="center">方冰的一天</td></tr>
<tr><td>2006 年 3 月 12 日</td><td align="right">天氣：晴</td></tr>
<tr><td colspan="2">　　今天是星期日，我們一家人去市中心買東西了。我們先去服裝店看了看。我買了一條黑色的牛仔褲，花了 150 塊錢。爸爸買了一條領帶，花了 250 塊錢。媽媽沒有買東西。中午我們去了一家中國飯店吃午飯。吃飯的人很多，我們等了半個多小時。下午我去書店了，我喜歡買書。我最喜歡買英文小說。我一共買了 10 本，花了 750 塊錢。媽媽說我太會花錢了，但是我覺得買書比買其他東西好。</td></tr>
</table>

Answer the questions.

(1) 方冰一家人星期日去哪兒了？

(2) 他們先去了什麼店？

(3) 方冰的爸爸買了什麼？花了多少錢？

(4) 他們中午去哪兒吃午飯了？

(5) 方冰最喜歡買什麼？

(6) 方冰今天買了什麼？一共花了多少錢？

❶ 暑期游泳班

對象：<u>少年班</u>十二～十八歲

　　　<u>成人班</u>十八歲以上

時間：<u>少年班</u>每星期二、四

　　　上午 9:00 ～ 10:00

　　　<u>成人班</u>每星期六、日

　　　下午 4:00 ～ 5:30

教師：香港體育中心老師

地點：香港體育中心

學費：<u>少年班</u> $150／節

　　　<u>成人班</u> $200／節

(1) 少年班星期幾上課？

(2) 他們每星期上幾次課？

(3) 每節課多長時間？

(4) 成人班是不是周末上課？

(5) 成人班每節課多少錢？

❷ 網球初級班

對象：八～十二歲

學費：全期港幣 $2,000

　　　（共十二節課）

開課時間：2001 年 4 月 1 日～

　　　　　2001 年 6 月 30 日

上課地點：太古網球學校

上課時間：每星期六

　　　　　下午 2:00 ～ 3:30

(1) 六歲的孩子可不可以參加
　　網球初級班？

(2) 網球班全期學費是多少？

(3) 網球班在哪兒上課？

(4) 網球班每星期上幾次課？

閱讀（四）　　畫龍點睛

1　Answer the questions.

(1) 爲什麼有人請畫家來廟裏？

(2) 畫家在墙上畫了什麼？

(3) 畫家畫的龍像不像？

(4) 畫家爲什麼不給龍畫眼睛？

(5) 畫家給幾條龍畫上了眼睛？

(6) 有眼睛的龍去哪兒了？

2　Fill in the blanks with measure words.

從前有一＿＿＿＿廟，廟裏有一＿＿＿＿墙，墙是白色的。後來有人請來了一＿＿＿＿畫家，請他在墙上畫一些東西。這＿＿＿＿畫家在墙上畫了四＿＿＿＿龍。

3　Translation.

(1) The wall is white.

(2) people who came to the temple

(3) The dragons will come to life if they have got eyes.

(4) As soon as they are alive, they will fly away.

(5) the two dragons with eyes

(6) no need to add eyes to the other two dragons

4　Give the meanings of the following phrases.

① 信
- 寫信
- 回信
- 明信片
- 信紙
- 信用卡

② 墙
- 墙壁
- 墙角
- 墙紙

第六課　中式早餐包括粥、包子……

1　Match the Chinese with the English.

(1) 麵條　　(a) stuffed steamed bun

(2) 油條　　(b) milk

(3) 包子　　(c) noodles

(4) 粥　　　(d) porridge

(5) 豆漿　　(e) yoghurt

(6) 點心　　(f) deep fried twisted dough sticks

(7) 牛奶　　(g) egg

(8) 鷄蛋　　(h) soya-bean milk

(9) 麵包　　(i) fruit

(10) 酸奶　(j) light refreshments

(11) 水果　(k) bread

2　Separate the following into two groups.

包子　書包　紅包　麵條
麵包　油條　黃油　錢包
鷄蛋　毛巾　酸奶　牛奶
餐巾　蛋糕　果醬　水果
醬油　橘子　果汁　糖果

吃的東西	用的東西
包子	書包

3　Make up phrases.

(1) 生病→病假條

(2) 發現→現＿＿＿

(3) 開藥→藥＿＿＿

(4) 喝水→水＿＿＿

(5) ＿＿體→體溫

(6) 黃油→油＿＿＿

(7) ＿＿學→學費

(8) 酸奶→奶＿＿＿

(9) ＿＿蛋→蛋糕

48

4 Match the descriptions with the pictures.

❶ 這個包裏有水、牛奶、糖、水果、土豆和鷄蛋。

---

❷ 這個包裏有麵包、果汁、大米、黄油、土豆、紅茶和豆漿。

---

❸ 這個包裏有牛奶、糖、土豆、橘子汁和麵包。

---

❹ 這個包裏有魚、麵包、大米、黄油、糖、咖啡和果醬。

5 Guess the meanings of the following phrases.

(1) 蛋糕   (4) 奶油   (7) 墙紙

(2) 蛋黄   (5) 母鷄   (8) 市場

(3) 蛋白   (6) 公鷄   (9) 錢包

6 Write in Chinese what they eat for breakfast.

我叫小亮。我早上通常吃……

(1) milk _____

(2) bread _____   (4) juice _____

(3) yoghurt _____   (5) biscuits _____

我叫小文。我早飯通常吃……

(1) soya-bean milk _____

(2) noodles _____

(3) stuffed steamed buns _____

(4) fruit _____

7 Write down the names of the food in Chinese.

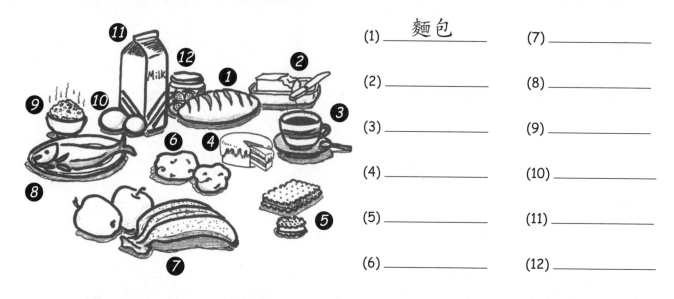

(1) ___麵包___

(2) _____

(3) _____

(4) _____

(5) _____

(6) _____

(7) _____

(8) _____

(9) _____

(10) _____

(11) _____

(12) _____

8 Give the meanings of the following phrases.

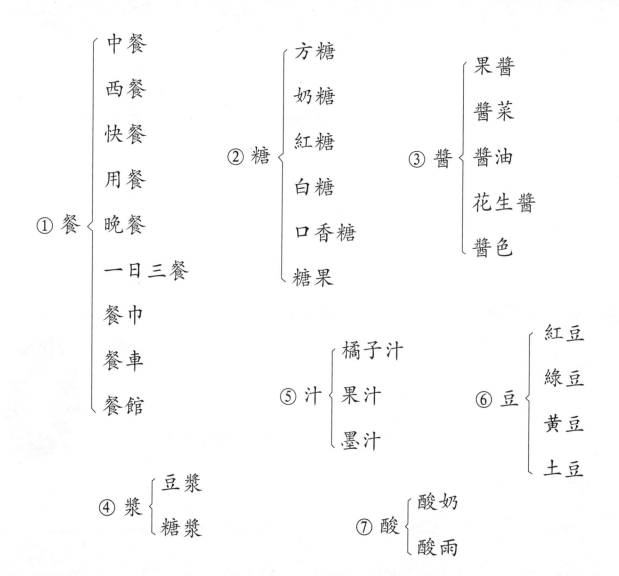

① 餐 ⎰ 中餐
　　　 西餐
　　　 快餐
　　　 用餐
　　　 晚餐
　　　 一日三餐
　　　 餐巾
　　　 餐車
　　　 餐館

② 糖 ⎰ 方糖
　　　 奶糖
　　　 紅糖
　　　 白糖
　　　 口香糖
　　　 糖果

③ 醬 ⎰ 果醬
　　　 醬菜
　　　 醬油
　　　 花生醬
　　　 醬色

④ 漿 ⎰ 豆漿
　　　 糖漿

⑤ 汁 ⎰ 橘子汁
　　　 果汁
　　　 墨汁

⑥ 豆 ⎰ 紅豆
　　　 綠豆
　　　 黃豆
　　　 土豆

⑦ 酸 ⎰ 酸奶
　　　 酸雨

9 Look at the menu below.

早餐價目表			
白粥	¥0.80	牛奶	¥1.20
麵條	¥1.20	果汁	¥0.80
油條（根）	¥0.50	橘子汁	¥0.80
包子（個）	¥0.30	紅茶	¥0.50
水餃（個）	¥0.20	綠茶	¥0.50
麵包（個）	¥1.20	咖啡	¥2.00
酸奶	¥2.50	可樂	¥1.00
豆漿	¥1.00	汽水	¥0.80

Answer the questions.

(1) 這個女孩有五塊錢。她要吃中式早餐。她可以吃些什麼？

(2) 那個男孩也有五塊錢。他要吃西式早餐。他可以吃些什麼？

10 Translation.

(1) 你想吃中餐還是西餐？

(2) 可樂或果汁都可以。

(3) 你想吃中藥還是西藥？

(4) 晚飯在家裏吃還是去飯店吃？

(5) 你咖啡裏要加紅糖還是方糖？

(6) 他可能今天或明天去北京。

(7) 你畫的是狗還是貓？

(8) 李白是一位詩人還是畫家？

11 Choose the correct meaning for the dotted word / phrase.

(a) 貝 treasure　(b) 氵 water

(1) 這家商店的東西很貴。 　(a) expensive　(b) cheap　(c) bad

(2) 弟弟太貪玩，不愛學習。 　(a) hate　(b) be fond of　(c) be reluctant

(3) 她一邊看信，一邊流眼淚。 　(a) yawn　(b) saliva　(c) tear

(4) 這條小河很淺。 　(a) dry　(b) shallow　(c) deep

(5) 小時候我喜歡去海灘玩水。 　(a) beach　(b) sea　(c) under the sea

12 Match the words with the radicals.

(1) 貝 (treasure) _____

(2) 酉 (fermentation) _____

(3) 米 (rice) _____

(4) 食 (food) _____

(5) 虫 (insect) _____

(6) 矢 (arrow) _____

(7) 弓 (bow) _____

(8) 羊 (sheep) _____

(9) 疒 (sickness) _____

(10) 广 (shelter) _____

貨	蛋	糖	酸
餐	費	醬	粥
矮	疼	病	康
蝦	廟	糕	瘦
短	美	痛	唐

13 Answer the following questions.

(1) 你每天吃早飯嗎？

(2) 你早飯通常吃什麼？

(3) 你喜歡吃中式早餐還是西式早餐？

(4) 你每天都喝牛奶嗎？

(5) 你喝過豆漿嗎？

(6) 你喝茶要加牛奶和糖嗎？

(7) 你喜歡喝咖啡嗎？

14 Write a paragraph about Xiao Yang's routine in Chinese.

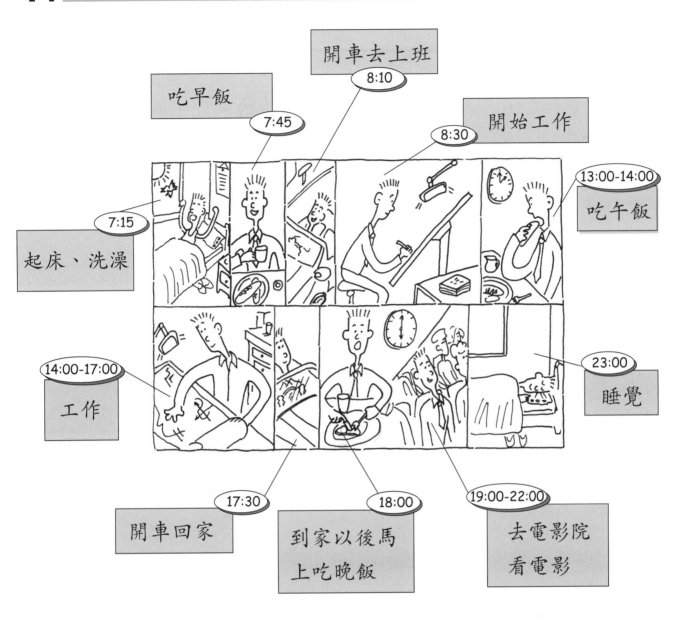

吃早飯 7:45

開車去上班 8:10

開始工作 8:30

13:00-14:00 吃午飯

7:15 起床、洗澡

14:00-17:00 工作

23:00 睡覺

17:30 開車回家

18:00 到家以後馬上吃晚飯

19:00-22:00 去電影院看電影

昨天小楊七點一刻起床。

閱讀（五）　　自相矛盾

1 | Answer the questions.

(1) 賣矛和盾的人是怎樣叫賣他的矛的？

(2) 他是怎樣叫賣他的盾的？

(3) 旁邊的人聽了他的叫賣後說了什麼？

(4) 你覺得會不會有人買他的矛和盾？

2 | Translation.

(1) There is a person who sells spears and shields.

(2) in order to attract people

(3) the sharpest in the world

(4) all the shields

(5) No spears can pierce it.

(6) What if you pierce your shield with your spear?

(7) self-contradictory

3 | Give the meanings of the following phrases.

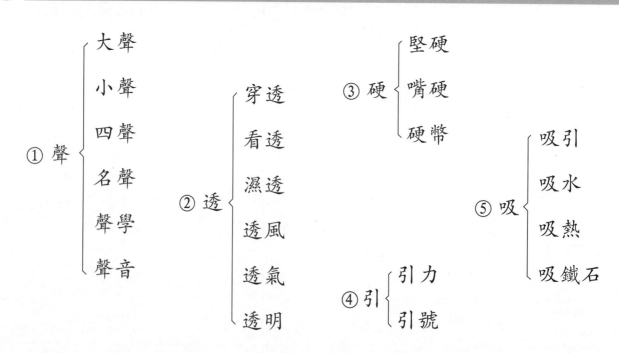

① 聲
- 大聲
- 小聲
- 四聲
- 名聲
- 聲學
- 聲音

② 透
- 穿透
- 看透
- 濕透
- 透風
- 透氣
- 透明

③ 硬
- 堅硬
- 嘴硬
- 硬幣

④ 引
- 引力
- 引號

⑤ 吸
- 吸引
- 吸水
- 吸熱
- 吸鐵石

第七課　爸爸點了很多菜

1 Write the pinyin and meanings for the following words / phrases.

(1) 牛肉 _____ _____

(2) 渴 _____ _____

(3) 餓 _____ _____

(4) 飽 _____ _____

(5) 冷飲 _____ _____

(6) 水果盤 _____ _____

(7) 大約 _____ _____

(8) 海帶絲 _____ _____

(9) 鷄湯 _____ _____

(10) 烤鴨 _____ _____

(11) 炒菜 _____ _____

(12) 豆腐 _____ _____

2 Choose the right answer.

(1) 如果你想吃中式早餐，你可以吃_____。

(a) 白粥、油條、豆漿

(b) 麵包、黄油、酸奶、橘子汁

(2) 如果你想吃西式早餐，你可以吃_____。

(a) 包子、湯麵、鷄蛋　(b) 牛奶、牛角包、水果

(3) 如果你想吃中式午餐，你可以吃_____。

(a) 炒鷄蛋、魚、米飯　(b) 熱狗、酸奶、奶茶

(4) 如果你去香港飯店飲早茶，你可以吃到_____。

(a) 春卷、蝦餃、燒賣、紅豆包

(b) 家常豆腐、炒肉片、紅燒魚

午餐價目表

星期一

熱狗	$8.00	酸奶	$4.50
菜肉包子	$4.00	牛奶	$3.20
春卷（四個）	$4.00	可樂	$2.50
杯麵	$3.80	汽水	$2.00

星期四

炒麵	$10.00	可樂	$2.50
水餃（四個）	$4.00	牛奶	$3.20
茶葉蛋	$1.50	汽水	$2.00

星期二

炒魚片米飯	$18.00	紅茶	$1.50
水餃（四個）	$4.00	綠茶	$1.50
牛肉湯麵	$10.00	橘子汁	$2.50
茶葉蛋	$1.50	可樂	$2.50

星期五

熱狗	$8.00	花茶	$1.50
菜花肉片飯	$15.00	牛奶	$3.20
菜肉包子	$4.00	可樂	$2.50

星期三

鷄蛋炒飯	$15.00	酸奶	$4.50
炒麵	$10.00	牛奶	$3.20
牛肉米飯	$16.00	果汁	$2.50
杯麵	$3.80	汽水	$2.00

Answer the questions.

(1) 你哪天可以吃到熱狗？

(2) 你星期幾可以吃到水餃？

(3) 你每天都可以吃到酸奶嗎？

(4) 哪天沒有米飯？

(5) 如果你想吃牛肉米飯、喝汽水，你要花多少錢？

4　Study the dialogue below.

服務員：請問，幾位？

李先生：兩位。

服務員：請跟我來。請坐。
　　　　你們先喝點兒什麼？

李先生：請來兩杯可樂。

服務員：現在點菜，還是等一會兒？

李先生：現在就點。你們有兩人套餐嗎？

服務員：有。兩人套餐 $248，三菜一湯，一個水果盤，
　　　　咖啡或茶。

李先生：我們就吃套餐。

服務員：還要別的嗎？

李先生：不要了。謝謝。

Make up a new dialogue.

你們五個人去一家中式飯店吃飯。自己點菜。
你們要點飲品、冷盤、主菜和水果。

5 Answer the following questions.

(1) 爸爸、媽媽每個月大約給你多少零用錢？

(2) 你每個月坐車花多少錢？

(3) 你每個月吃午飯花多少錢？

(4) 你每個月買書花多少錢？

(5) 你每個月買衣服花多少錢？

(6) 你每個月買 cp 花多少錢？

(7) 你每個月看電影花多少錢？

(8) 你每個月買糖果花多少錢？

6 Translation.

(1) 這牛肉太老了，真難吃。

(2) 你飽了嗎？要不要再吃一點兒？

(3) 你餓了嗎？想不想去吃點兒東西？

(4) 你渴不渴？要不要喝點兒水？

(5) 這家飯店沒有外賣服務。

(6) 在香港，大年初一，所有的商店都關門。

(7) 別着急，一會兒就可以吃飯了。

(8) 你喝咖啡時加不加糖？

(9) 在中國，北方人喜歡喝花茶，南方人喜歡喝綠茶。

7 Find the phrases. Write them out.

冷	熱	皮	鷄	豆	腐
酸	飲	鞋	蛋	大	海
奶	菜	花	生	米	帶
餓	烤	飽	炒	飯	碗
牛	肉	鴨	麵	魚	片

(1) _____   (6) _____

(2) _____   (7) _____

(3) _____   (8) _____

(4) _____   (9) _____

(5) _____   (10) _____

8 Reading comprehension.

我們家周末經常外出吃飯。我父母親都是上海人，所以我們每次都會去一家上海飯店──一品香。這家飯店不大，但是做的菜很好吃：有冷盤、炒菜，還有家常菜。我最喜歡吃的是那裏的五香牛肉。他們做的茶葉蛋也非常好吃。飯店的服務也不錯，所以每天吃飯的人很多，周末人就更多了，有時候要等半個小時。

Answer the questions.

(1) 他們一家周末常在家吃飯嗎？

(2) 他們常去的飯店叫什麼名字？

(3) 這家飯店大不大？

(4) 這家飯店的菜做得怎麼樣？

(5) 飯店的服務怎麼樣？

(6) 去一品香吃飯的人多不多？

閱讀（六） 兒子和鄰居

( )(1) 這個宋國人沒有兒子。

( )(2) 一場大雨沖走了宋國人的家。

( )(3) 兒子讓父親找人修墻。

( )(4) 宋國沒有小偷。

( )(5) 這個宋國人的鄰居是一個老頭兒。

( )(6) 有一天晚上小偷偷走了富人家的很多東西。

( )(7) 這個富人的全家都覺得富人的兒子很聰明。

( )(8) 隔壁老人可能是小偷。

2 Give the meanings of the following phrases.

① 居 {
居民
居住
鄰居
故居

② 偷 {
偷看
偷聽
偷東西
小偷

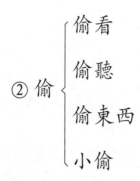

3 Translation.

(1) Heavy rain damaged the wall of the rich man's house.

(2) an old man who lives next door

(3) steal a lot of nice things

(4) on the second day

(5) the person who came to steal

(6) that night

第八課　自助餐的菜式很多

1 Answer the questions.

套餐1
鷄蛋、麵包、牛奶、橘子汁

套餐2
米飯、炒菜、魚、牛肉、鷄湯

套餐3
三明治、可樂、水果

(1) 哪個套餐是早餐？

(2) 套餐2一般什麼時候吃？

(3) 哪個套餐像午餐？

(4) 你喜歡吃哪個套餐？

2 Finish the following dialogues.

Example

A: 五個包子多少錢？

B: 五個包子五塊錢。

￥5.00。

1

A: 半打鷄蛋多少錢？

￥2.50。

B: _____。

2

A: _____？

B: 一盤餃子五塊錢。　￥5.00。

3

￥28.00。

A: _____？

B: 一隻烤鴨二十八塊。

4

￥1.00。

A: 一碗甜豆漿多少錢？

B: _____。

5

A: 一個蛋糕多少錢？

B: _____。￥45.00。

6

￥0.80。

A: _____？

B: 一根油條八毛。

7

A: 一碗白粥多少錢？

￥0.80。

B: _____。

3 Circle the ingredients.

做蛋糕要用什麼？

(1) 黃油	(6) 鶏蛋
(2) 麵	(7) 土豆
(3) 豬肉	(8) 青菜
(4) 白糖	(9) 水果
(5) 水	(10) 奶油

4 Answer the questions.

每位　$25.00　大小同價

套餐1

牛肉片炒四季豆

鶏蛋炒飯

中國茶或咖啡

套餐2

豬肉絲炒麵

炒卷心菜

中國茶或咖啡

套餐3

三文魚壽司

生菜沙拉

可樂或咖啡

(1) 這些套餐是早餐還是晚餐？

(2) 不吃肉的人可以吃哪個套餐？

(3) 不吃豬肉的人可以吃哪個套餐？

(4) 喜歡吃魚的人可以吃哪個套餐？

(5) 每個套餐的飲品一樣嗎？套餐1的飲品是什麼？

(6) 小孩吃套餐要花多少錢？

5 Study the dialogue below.

A: 我買兩張去北京的火車票。

B: 請問您要哪天的？

A: 6 月 19 號的。

B: 您想坐幾點的車？

A: 下午四點半的。

B: 您要單程票還是來回票？

A: 來回票。

B: 一共160塊。請在3號月臺上車。

A: 謝謝。

Make up new dialogues.

Task 1: 買三張去上海的單程票。

Task 2: 買一張去南京的來回票。

西安火車站			
目的地	時間	單程票價	來回票價
北京	16:30 / 20:15	￥90.00	￥160.00
上海	14:30 / 17:15	￥160.00	￥300.00
南京	9:08 / 13:45	￥180.00	￥345.00

6 Make up phrases.

(1) 壽司→司 <u>機</u>

(2) 變化→化 ___

(3) 快餐→餐 ___

(4) 東南亞→亞 ___

(5) ___ 菜→菜單

(6) ___ 糖→糖果

(7) ___ 糕→糕點

(8) 牛排→排 ___

(9) ___ 食→食品

(10) 花生米→米 ___

(11) 聰明→明 ___

(12) ___ 兒→兒童

(13) ___ 費→費用

(14) ___ 醬→醬菜

(15) ___ 式→式樣

7 Choose the correct meaning for the dotted word / phrase.

(a) 犭 animal   (b) 食 food   (c) 虫 insect

(1)《獅子王》這部動畫片很好看。   (a) elephant   (b) lion   (c) tiger

(2) 我弟弟每次去動物園，都要去看猴子。
(a) fox   (b) monkey   (c) wolf

(3) 2001年是蛇年。   (a) shrimp   (b) snake   (c) fly

(4) 香港夏天蚊子不少。   (a) mosquito   (b) frog   (c) cockroach

(5) 在中國，北方人喜歡吃麵條、饅頭。
(a) steamed bun   (b) dumpling   (c) spring roll

8 Fill in the blanks with the question words in the box.

| 誰 | 什麼 | 哪兒 | 幾 | 哪 | 怎麼 | 多少 |

(1) A: 你喜歡上什麼課？

B: 我 ＿＿＿＿課都不喜歡。

(2) A: 我們怎麼去體育中心？

B: ＿＿＿＿去都可以。

(3) A: 誰可以參加籃球隊？

B: ＿＿＿＿都可以參加。

(4) A: 我們幾點去看電影？

B: ＿＿＿＿點去都可以。

(5) A: 你想去哪兒玩？

B: 我 ＿＿＿＿都想去。

(6) A: 我什麼時候去你家？

B: 你＿＿＿＿時候來都可以。

(7) A: 你要哪一個？

B: 我 ＿＿＿＿個都不要。

(8) A: 你要幾個皮球？

B: ＿＿＿＿個都可以。

9 Give the meaning of each word.

① { 級 / 吸

② { 領 / 顏

③ { 醬 / 漿

④ { 古 / 故

⑤ { 更 / 硬

⑥ { 名 / 各

⑦ { 總 / 聰

⑧ { 種 / 動 / 重

10 Give the meanings of the following phrases.

(1) 牛皮鞋

(2) 羊皮鞋

(3) 羊皮外套

(4) 羊毛衫

(5) 豬皮帶

(6) 牛皮帶

(7) 豬毛刷

(8) 皮包

(9) 牛奶

(10) 牛油

11 Rearrange the pictures according to the passage.

小方和爺爺今天很早就出門了。爺爺帶她去了附近的一個公園。公園裏有人在跑步，有人在放風箏。爺爺還帶小方去買衣服了。天一黑，他們就回家了。小方沒吃完晚飯就睡着了。

12 Give the meanings of the following phrases.

① 食
- 食品
- 食物
- 食堂
- 主食
- 飲食
- 日全食
- 月全食

② 單
- 單車
- 單程票
- 單人房
- 單人床
- 單數
- 單元
- 菜單

③ 廳
- 餐廳
- 大廳
- 客廳
- 音樂廳

④ 沙
- 沙子
- 沙拉
- 沙發

⑤ 青
- 青菜
- 青春
- 青年
- 青少年

⑥ 羊
- 羊毛
- 羊毛衫
- 山羊

13 Reading comprehension.

❶ 東海酒家自助晚餐

主菜：中、西菜式 40 多種

甜品：各式蛋糕、水果沙拉等

飲品：法國紅酒、白酒、各種冷、熱飲

每位 $150.00

3 - 5 歲小童半價

每天晚上 6:00 - 11:00

星期日及節假日不休息

❷ 孔喜明粥麵店

各式早餐：

皮蛋瘦肉粥

牛肉片粥

魚片粥

豬紅瘦肉粥

白粥

上海炒年糕

菜肉包子

牛肉麵

雪菜肉絲麵

炒麵　　奶茶

湯麵　　綠茶

油條　　紅茶

油餅　　豆漿

True or false?

( )(1) 自助晚餐的菜式只有西式的。

( )(2) 自助晚餐的菜式大約有 30 種。

( )(3) 十歲以下的小孩去吃自助餐不
用花錢。

( )(4) 周末也可以去吃自助晚餐。

( )(5) 粥麵店裏只有四種粥。

( )(6) 粥麵店裏只有茶，沒有咖啡。

( )(7) 在粥麵店裏你可以吃到牛肉包子。

親愛的爸爸、媽媽：你們好！

　　我來北京已經 ＿＿＿＿＿ 了 (three days)。我已經去過了 ＿＿＿＿

＿＿＿＿＿＿＿＿＿＿＿＿＿＿(Tian'anmen, the Forbidden City and the Great Wall)。

這三天裏，我吃過了 ＿＿＿＿＿ 和 ＿＿＿＿＿ (roast duck, dumpling)。這幾

天北京的天氣 ＿＿＿＿＿＿＿＿＿＿＿＿＿＿＿＿＿＿ (very hot,

temperature between 28 ℃ － 35 ℃)。北京的馬路上有 ＿＿＿＿＿＿＿

(a lot of people)，也有 ＿＿＿＿＿ (a lot of bicycles)。北京人 ＿＿＿＿＿

(very friendly)。我 ＿＿＿＿＿(next week) 還要去上海。

　　祝好！

女兒：嚴小琴 上

7月 12 日於北京

(1) 你吃完早飯<u>以後</u>可以出去玩。 (5) 來中國<u>以前</u>他學過漢語。

(2) 三天<u>以前</u>我見過他。 (6) 1.20 米<u>以上</u>的孩子要買成人票。

(3) 放學<u>以後</u>我們可以去看電影。 (7) 到了北京<u>以後</u>請你打電話給我。

(4) 睡覺<u>以前</u>要洗臉、刷牙。 (8) 十二歲<u>以下</u>的孩子不用買票。

16 Reading comprehension.

1

如果您在本市居住、工作或學習，您就可以在本圖書館借書。每個人每次最多可借10本，最長借兩個星期。

開館時間：

星期一～星期五

10:00 ～ 19:00

節假日、周末

10:00 ～ 17:00

2

女士們、先生們：

餐車上有中、西式午餐、西式糕點、茶、咖啡及各類飲品。

開飯時間是中午12:00到下午 2:00 。

3

昨天李明一家三口去飯店吃午飯了。他們要了三菜一湯：一盤炒土豆絲、一條紅燒魚、半隻烤鴨和一碗雞湯；他們每人還要了一碗紅豆湯，總共花了 50 元。

True or false?

( ) (1) 圖書館每天都開門。

( ) (2) 在本市居住的人不可以去圖書館借書。

( ) (3) 每個人每次最少可以借10 本。

( ) (4) 餐車上只有中式午餐。

( ) (5) 李明一家人昨天去吃自助餐了。

( ) (6) 他們只吃了雞、鴨、魚，沒有吃肉。

( ) (7) 最後他們沒有要水果。

生詞

第五課　貨幣　人民幣　本國　美元　日元　英鎊　角＝毛　分

日常生活　塊＝元　錢　花費　學費　如果　成人

電影票　兒童　票價　多少錢

畫龍點睛　從前　廟　墙　信　這時　突然

電閃雷鳴　另外

第六課　中式　早餐＝早飯　包括　粥　包子　麵條　鷄蛋　油條

豆漿　點心　城市　西式　麵包　酸奶　牛奶　橘子汁

咖啡　抹　黃油　或　果醬　糖

自相矛盾　爲了　吸引　大聲　叫賣　尖利　所有

穿透　堅硬

第七課　碗　鷄湯　當時　大約　渴　餓　杯　冷飲　叫菜＝點菜

冷盤　皮蛋　肉片　五香牛肉　花生米　海帶絲　烤鴨

炒麵　家常　豆腐　水果盤　飽

鄰居　宋國　富人　沖　壞人　修　小偷　偷東西

果然　聰明

第八課　自助餐　羊肉　變化　飲食業　各個　意大利　東南亞

快餐　餐廳　菜單　豬排　三文魚　壽司　龍蝦　生菜

沙拉　三明治　甜食（品）　糕點　青年人

總複習

1. Currency

① 貨幣（錢）
- 人民幣
- 美元（金）
- 日元
- 英鎊

② 人民幣
- 元（塊）
- 角（毛）
- 分

2. Food and drinks

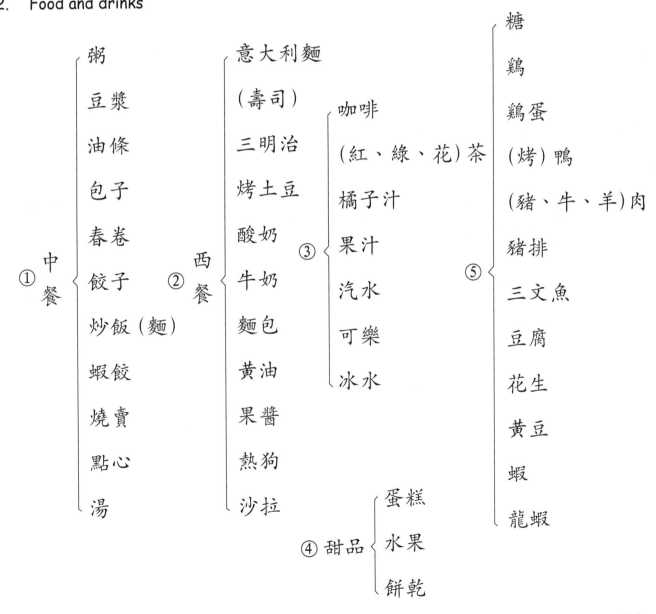

① 中餐
- 粥
- 豆漿
- 油條
- 包子
- 春卷
- 餃子
- 炒飯（麵）
- 蝦餃
- 燒賣
- 點心
- 湯

② 西餐
- 意大利麵
- （壽司）
- 三明治
- 烤土豆
- 酸奶
- 牛奶
- 麵包
- 黃油
- 果醬
- 熱狗
- 沙拉

③
- 咖啡
- （紅、綠、花）茶
- 橘子汁
- 果汁
- 汽水
- 可樂
- 冰水

④ 甜品
- 蛋糕
- 水果
- 餅乾

⑤
- 糖
- 鷄
- 鷄蛋
- （烤）鴨
- （豬、牛、羊）肉
- 豬排
- 三文魚
- 豆腐
- 花生
- 黃豆
- 蝦
- 龍蝦

3. Measure words

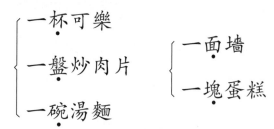

一杯可樂

一盤炒肉片

一碗湯麵

一面墻

一塊蛋糕

4. Ordering food

點菜

我想點一個炒菜。

我想叫一個冷盤。

我想要一個甜品。

請再來一個可樂。

5. Adjectives

(1) 渴：　要是你渴了，就喝果汁。

(2) 餓：　要是你餓了，就吃三明治。

(3) 飽：　我飽了，我不能再吃了。

6. Grammar

(1) 多少錢　　一張電影票多少錢？

(2) 花　　　　他每天花很多時間打電話。

　　　　　　昨天我花 400 塊錢買了一件毛衣。

(3) 還是／或　你想吃自助餐還是點菜？

　　　　　　你今天或明天來都可以。

(4) 各　　　　各位家長，你們好！

　　　　　　這家商店賣各種各樣的手錶。

(5) 如果……，就……　如果你不想吃自助餐，就自己點菜。

(6) Question words used as indefinites　他長得誰也不像。

　　　　　　我什麼水果都喜歡吃。

7. Questions and answers

(1)你今天吃早飯了嗎？　吃了。

(2)你早飯一般吃什麼？　牛奶、麵包。

(3)你午飯吃什麼？　三明治、可樂。

(4)你晚飯吃中餐還是西餐？　有時候吃中餐，有時候吃西餐。

(5)你喜歡喝什麼？　可樂和橘子汁。

(6)你吃過自助餐嗎？　吃過。

(7)你和家人常去飯店吃飯嗎？　每周一次。

(8)你每天花多長時間做功課？　兩個小時。

(9)你每個星期花多少零用錢？　100塊。

(10)在你的國家買一張兒童電影票要多少錢？　三十塊。

測驗

Answer the questions in Chinese.

(1) 一公斤土豆多少錢？（￥1.50）_____

(2) 一條魚多少錢？（￥15.00）_____

(3) 一杯橘子汁多少錢？（￥2.50）_____

(4) 一包薯片多少錢？（￥7.80）_____

(5) 一塊巧克力多少錢？（￥8.40）_____

(6) 半斤火腿肉多少錢？（￥18.20）_____

(7) 一塊烤牛排多少錢？（￥18.00）_____

(8) 一斤水果糖多少錢？（￥9.50）_____

2 Choose the right word.

(1) 美國的貨（巾／幣）叫美（天／元）。

(2) 請問，一張（成／城）人電影（漂／票）多少錢？

(3) 我（渴／喝）咖（非／啡）時從來都不加（唐／糖）。

(4) 我要一（盤／舟）水果。

(5) 有些人飯後喜歡吃（颱／甜）品。

(6) 我哥哥有世界（各／名）國的（更／硬）幣。

(7) 一（湯／場）大雨沖（懷／壞）了宋國人家的墙。

3 True or false?

( )(1) 我們通常先看到閃電，
　　　 然後聽見雷聲。

( )(2) 住在你家隔壁的人就
　　　 是你的鄰居。

( )(3) 偷人家東西的人叫小
　　　 偷。

( )(4) 富人沒有錢。

( )(5) 德國的貨幣叫英鎊。

( )(6) 中國有很多廟。

( )(7) 中國人喜歡吃豆腐。

( )(8) 西方人喜歡喝咖啡。

4 Answer the following questions.

(1) 你平時早飯吃什麼？

(2) 上學的時候你午飯一般
　　吃什麼？

(3) 你晚飯通常幾點吃？你
　　家誰做晚飯？

(4) 你喜歡吃自助餐嗎？

(5) 你和家人常去飯店吃飯嗎？

(6) 你每個月有多少零用錢？

(7) 你們學校有食堂嗎？

(8) 你每天花幾個小時做功課？

(9) 你知道幾個中國城市的名字？

(10) 世界上最富有的人是誰？

5 Translation.

(1) I would like to have some dessert.

(2) Do you have vegetable salad?

(3) Can I order now?

(4) Can I add a cold dish?

(5) What would you like to eat?

(6) How much is a cup of tea?

(7) How many books can I borrow?

(8) When should I return these books?

(9) Yesterday I bought a novel for $56.00.

(10) What would you like to drink, tea or coffee?

6 Writing practice. Write an account of your eating out.

You should include:

① When and where you went

② Whom you went with

③ What you ate and how much the food cost

④ How you felt about the food there

7 Extended reading.

中國地方大，各個地區的氣候不同，所以人們吃的飯菜也不一樣。南方人喜歡吃米飯，北方人喜歡吃麵食。因爲每個地方飯菜做得不同，所以人們常說"南甜，北咸，東辣，西酸"。也就是說，南方人喜歡吃甜的，做菜時常常放糖；北方人喜歡吃咸的，做菜時鹽放得多一點；山東和西南部一些地方的人喜歡吃辣的，他們做的菜又香又辣；山西人愛吃酸的，他們做菜時喜歡放醋。中國人還喜歡喝茶，南方人喜歡喝綠茶，北方人喜歡喝花茶。

True or false?

( )(1) 所有的中國人都喜歡吃麵食。

( )(2) 中國的南方人喜歡吃辣的。

( )(3) 中國的北方人喜歡吃咸的。

( )(4) 中國人喜歡喝紅茶，加糖和牛奶。

第三單元　飲食和健康

第九課　市場上的蔬菜、水果非常新鮮

1 Categorize the fruit and vegetables.

蘋果	香蕉	冬瓜	西瓜	木瓜	胡蘿蔔
草莓	青菜	橘子	卷心菜	四季豆	柿子
生菜	毛豆	大白菜	南瓜	土豆	白蘿蔔
桃子	黃瓜	西紅柿	葡萄	李子	梨

水果

蔬菜

2 Find the odd one out.

(1) 西瓜　冬瓜　南瓜　黃瓜

(2) 蘋果　香蕉　梨　　青菜

(3) 草莓　草藥　葡萄　桃子

(4) 卷心菜　大白菜　菜農　菜花

(5) 葡萄牙　西班牙　意大利　葡萄酒

(6) 炒肉片　豬肉　羊肉　牛肉

(7) 鮮魚　鮮蝦　鮮花　鮮肉

(8) 渴　餓　飽　喝

3 Comment on the following food and drinks.

飲品、食品	Comments
(1) 酸奶	常常吃
(2) 豆漿	
(3) 牛奶	
(4) 可樂	
(5) 鷄蛋	
(6) 豬肉	
(7) 壽司	
(8) 牛排	
(9) 蛋糕	
(10) 魚	
(11) 西紅柿	
(12) 草莓	
(13) 西瓜	
(14) 三明治	

Useful Phrases:

(a) 非常喜歡吃／喝

(b) 從來沒吃／喝過

(c) 常常吃／喝

(d) 每天都吃／喝

(e) 一個星期吃／喝一次

(f) 最不愛吃／喝

(g) 吃／喝過一次

(h) 很少吃／喝

(i) 不好吃／喝

(j) 小時候喜歡吃／喝

4 Give the meaning of each word.

① { 豆 / 短 } ② { 市 / 鬧 } ③ { 每 / 莓 } ④ { 菜 / 彩 } ⑤ { 利 / 梨 } ⑥ { 桃 / 跳 }

5 Write the Chinese characters for the following vegetables and fruit.

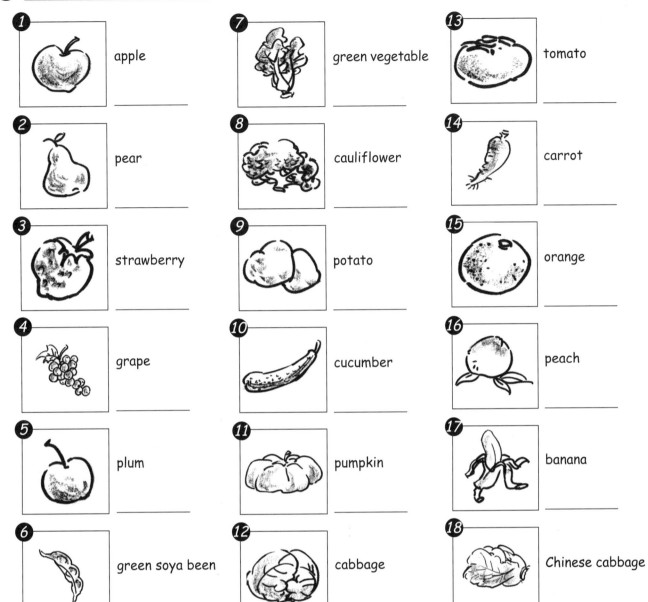

1 apple

2 pear

3 strawberry

4 grape

5 plum

6 green soya been

7 green vegetable

8 cauliflower

9 potato

10 cucumber

11 pumpkin

12 cabbage

13 tomato

14 carrot

15 orange

16 peach

17 banana

18 Chinese cabbage

6 Give the meanings of the following phrases.

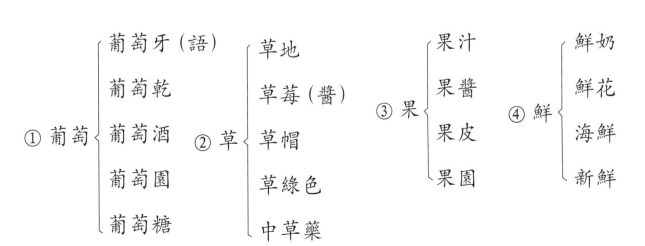

① 葡萄 { 葡萄牙（語） 葡萄乾 葡萄酒 葡萄園 葡萄糖 }

② 草 { 草地 草莓（醬） 草帽 草綠色 中草藥 }

③ 果 { 果汁 果醬 果皮 果園 }

④ 鮮 { 鮮奶 鮮花 海鮮 新鮮 }

你去洗衣店洗衣服。以下是洗衣服務的價目表：

洗衣	乾洗			
每3公斤 $10.00	西裝（套）	$45.00	長大衣	$50.00
5公斤 $15.00	套裝（套）	$42.00	呢裙子	$38.00
	短大衣	$40.00	西褲	$20.00

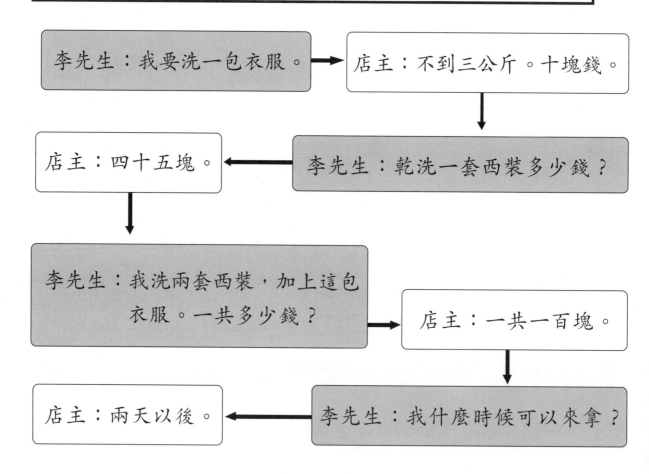

李先生：我要洗一包衣服。 → 店主：不到三公斤。十塊錢。

店主：四十五塊。 ← 李先生：乾洗一套西裝多少錢？

李先生：我洗兩套西裝，加上這包衣服。一共多少錢？ → 店主：一共一百塊。

店主：兩天以後。 ← 李先生：我什麼時候可以來拿？

Task

你要洗一件長大衣，一條西褲，五公斤衣服。

8 Fill in the blanks with proper measure words.

公斤　斤　個　隻　包　杯　塊　打　盤

(1) 一＿＿牛奶　(6) 三＿＿蘋果　(11) 一＿＿蛋糕　(16) 一＿＿麵包

(2) 一＿＿可樂　(7) 兩＿＿梨　(12) 一＿＿餅乾　(17) 一＿＿炒飯

(3) 一＿＿西瓜　(8) 兩＿＿胡蘿蔔　(13) 一＿＿糖果　(18) 一＿＿橘子汁

(4) 一＿＿鷄蛋　(9) 一＿＿草莓　(14) 三＿＿土豆　(19) 四＿＿香蕉

(5) 一＿＿三明治　(10) 兩＿＿葡萄　(15) 一＿＿南瓜　(20) 一＿＿青菜

9 Read the text below. Describe one of your friends.

我們班來了一位新同學。

她是韓國人，她叫金英。她長得挺高，有1.6米，瘦瘦的。她的頭髮是黑色的，不長也不短。她的眼睛大大的、鼻子高高的、嘴巴也大大的，挺漂亮。她不愛說話，但是很友好，還喜歡幫助別人。她很喜歡吃甜食，我也很喜歡吃，所以，我們很快就成了好朋友。

10 Translation.

(1) 市場上賣的肉挺新鮮的。

(2) 我家住在市中心，一天到晚都很熱鬧。

(3) 這十幾年，中國變化很大。

(4) 今天所有的碗筷都半價。

(5) 上海是中國第一大城市。

(6) 青年人一般喜歡流行音樂。

(7) 別着急，讓湯涼一下再喝。

(8) 西瓜皮是綠色的，西瓜肉是紅色的，西瓜子是黑色的。

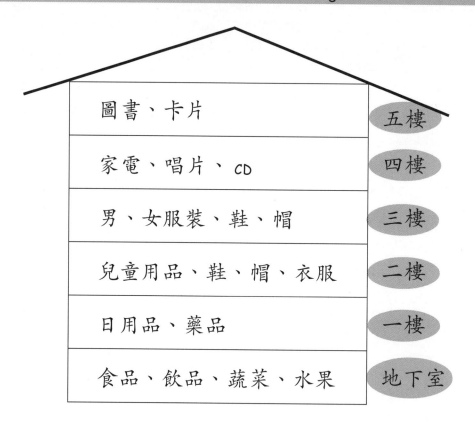

(1) 如果你想買牛奶、麵包和黃油，你應該去幾樓買？

(2) 如果你想買一台電視機，你應該上幾樓？

(3) 你想買一張北京地圖，幾樓有可能賣？

(4) 三樓賣什麼？

(5) 你想買一套童裝，你應該上幾樓？

(6) 如果你想買感冒藥，幾樓可能有？

(7) 成人的衣服在二樓還是在三樓賣？

(8) 你想買毛巾、牙刷和杯子，你應該去幾樓買？

(9) 這家百貨商店有沒有活魚、活蝦賣？

(10) 你想買法國紅葡萄酒，你要去幾樓買？

(11) 你要買一張生日卡，你要上幾樓？

12 Prepare a similar personal file for yourself.

姓名：李海英

十二歲，上八年級，在美國出生，香港人

會說英語、法語和一點兒漢語

身高：1.52米　　　　眼睛：棕色

體重：35公斤　　　　頭髮：棕色

愛好：看書、看電影、打網球、拉小提琴、唱歌

最好的朋友：王利、金美文、孔明

最喜歡聽的音樂：流行音樂　　　最喜歡看的書：小說

最喜歡看的電影：動畫片　　　　最喜歡吃的東西：壽司

13 Reading comprehension.

a 所有兒童服裝、鞋、帽都半價！

f 要買日用百貨？請到地下室。

b 去二樓買最新式的法國男、女服裝！

c 意大利真皮大衣、皮鞋、皮包全都半價！

d 中、西式自助餐，在六樓咖啡廳。

e 兒童用品，在三樓。

True or false?

( )(1) 小寶寶的用品可以在三樓買到。

( )(2) 中式自助餐在三樓咖啡廳。

( )(3) 意大利真皮大衣半價出售。

( )(4) 兒童衣服半價。

( )(5) 二樓只賣男裝。

( )(6) 地下室有牙刷、毛巾賣。

王成今年十三歲，上初中一年級。兩年前他長得很胖，現在已經瘦了20多斤了，這是因為在這兩年裏，媽媽讓他多吃蔬菜、水果，少吃肉。有時候他一星期只吃一次肉，一、兩次魚，兩個雞蛋。開始的時候，他總覺得肚子餓，一天到晚想吃肉，不想吃蔬菜和水果。時間長了，他慢慢開始喜歡吃蔬菜和水果了。他現在瘦了很多，身體更好了！

葉常今年十五歲，上初三。他什麼東西都喜歡吃，最喜歡吃零食。他每天要吃一大堆零食。到了吃午飯和吃晚飯的時候，他總是不覺得餓，所以他午飯和晚飯都吃得不多。除了零食以外，他還喜歡吃水果。什麼水果他都喜歡吃。

True or false?

( )(1) 王成兩年前比現在胖。

( )(2) 王成現在瘦了，因為他天天吃肉。

( )(3) 王成以前不喜歡吃蔬菜。

( )(4) 葉常非常喜歡吃零食。

( )(5) 葉常吃飯也吃得很多。

( )(6) 葉常只喜歡吃零食，不喜歡吃水果。

15 Reading comprehension. Write a similar one about one of your school events.

學校開放日

上個星期六是我們學校的開放日。那天天氣很好，所以來學校的人很多，十分熱鬧。

那天校園變成了一個大"市場"。"市場"上有五花八門、各種各樣的東西賣，還有二手衣服、鞋、包、日用品、圖書賣。學校還為小朋友們安排了各種遊戲。

我覺得那天最吸引人的地方是學校禮堂。那天禮堂變成了一個"多國餐廳"。在那裏，你可以吃到中國、印度、意大利及其他東南亞國家的飯菜，還有各種西式糕點。很多家庭一家大小都到禮堂來吃午飯。我什麼都想吃，可是吃的東西太多了，每樣東西我只能吃一點兒。

True or false?

( )(1) 學校開放日那天來的人很多，真熱鬧。

( )(2) 那天，校園裏有新東西賣，也有二手貨賣。

( )(3) 那天，禮堂變成了"餐廳"。

( )(4) "餐廳"裏的飯菜只有中式的，沒有西式的。

( )(5) 在"餐廳"裏，除了可以吃到中國飯，還可以吃到印度飯。

閱讀（七）　葉公好龍

1 True or false?

( )(1) 葉公非常喜歡龍。

( )(2) 葉公的房間裏有十條真龍。

( )(3) 葉公的衣服上繡着龍。

( )(4) 真龍生活在天上。

( )(5) 葉公很怕真龍。

2 Translation.

(1) the snow-white wall

(2) people who live nearby

(3) is deeply moved

(4) He was so frightened that his face turned white.

3 Give the meaning of each word.

① 各 ＿＿＿＿
客 ＿＿＿＿

② 跑 ＿＿＿＿
飽 ＿＿＿＿

③ 市 ＿＿＿＿
柿 ＿＿＿＿

④ 受 ＿＿＿＿
愛 ＿＿＿＿

⑤ 絲 ＿＿＿＿
繡 ＿＿＿＿

⑥ 假 ＿＿＿＿
蝦 ＿＿＿＿

4 Give the meanings of the following phrases.

① 受 難受
好受

② 窗 窗子
窗户
窗口

③ 繡 繡花針
繡花鞋
繡花襯衫

86

第十課　他最喜歡吃零食

1　Match the Chinese with the pictures.

(a) 香腸　　(f) 薯片

(b) 火腿　　(g) 玉米片

(c) 餅乾　　(h) 巧克力

(d) 薯條　　(i) 奶酪

(e) 魚罐頭　(j) 牛肉罐頭

2　Circle the right answer.

1

做蔬菜沙拉，你不用：

(a) 黃瓜　(b) 西紅柿　(c) 火腿

(d) 胡蘿蔔　(e) 麵條　(f) 生菜

2

做巧克力餅乾，你不用：

(a) 黃油　(b) 糖　(c) 巧克力

(d) 麵　(e) 蛋　(f) 果醬

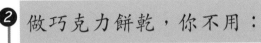

3

做三明治，你不用：

(a) 麵包　(b) 生菜　(c) 豆漿

(d) 雞肉　(e) 奶酪　(f) 巧克力

4

做蛋炒飯，你不用：

(a) 米飯　(b) 雞蛋　(c) 奶酪

(d) 火腿　(e) 油　(f) 青豆

3 Group the words according to their radicals.

(1) 缶 (jar) _____

(2) 皿 (utensil) _____

(3) 工 (work) _____

(4) 走 (walk) _____

(5) 羊（⺶）(sheep) _____

(6) 火 (fire) _____

美	盒	功	烤
罐	超	差	炸
越	巧	燒	炒

4 Reading comprehension.

租船服務

七月～九月

星期一～星期六

10:00 ～ 4:00

（假期除外）

請電 3674 8299，王小姐

上船地點：天后碼頭

船號	人數	費用	卡拉OK費用
J189	20人	$1500	$300
S607	35人	$1950	$400
Q413	60人	$2500	$500

（以上是租一天的費用）

Answer the questions.

(1) 你們一共有 30 個人，要租兩天的船，不唱卡拉 OK，費用一共是多少？

(2) 租 Q413 船三天，唱卡拉 OK 一天，費用一共是多少？

(3) 如果你們有 15 個人，租哪條船花錢最少？

5 Translation.

(1) 風越颳越大，雨也越下越大。

(2) 白天越來越長了。

(3) 這裏的空氣越來越不好了。

(4) 中國的大熊貓越來越少了。

(5) 這幾天，我的牙越來越疼了。

(6) 路上的車越來越多了。

(7) 她的日子過得越來越好了。

(8) 她越來越瘦了。

(9) 他越長越像他爸爸了。

(10) 雷聲越來越近了。

6 Categorize the following food.

(1) 零食、小吃有哪些？ _____

(2) 做三明治要用什麼？ _____

(3) 哪些是罐頭食品？ _____

(4) 哪些可以用來燒烤？ _____

(5) 哪些是蔬菜？ _____

(6) 哪些是水果？ _____

薯片	香腸	罐頭牛肉	雞腿	午餐肉	火腿	梨
餅乾	麵包	巧克力	薯條	牛肉乾	糖果	蝦
玉米	生菜	生魚片	魚乾	雞蛋	奶酪	
草莓	南瓜	梨罐頭	桃子	胡蘿蔔	香蕉	

7 Fill in the blanks with the measure words in the box.

| 盤 罐 碗 杯 包 盒 |

(1) 我要一 ___ 炒麵。

(2) 兩 ___ 可樂五塊錢。

(3) 我們要三 ___ 茶、兩 ___ 咖啡。

(4) 請幫我拿一 ___ 玉米片，好嗎？

(5) 請問，這 ___ 巧克力多少錢？

(6) 我們每個人要一 ___ 魚片粥。

8 Guess the names of the following countries.

(1) 葡萄牙 _____

(2) 土耳其 _____

(3) 越南 _____

(4) 比利時 _____

(5) 古巴 _____

(6) 也門 _____

(7) 墨西哥 _____

9 True or false?

( )(1) 法國人喜歡吃麵包、奶酪，喝葡萄酒。

( )(2) 日本人喜歡吃生魚片、壽司和飯團。

( )(3) 英國人的快餐是：炸魚、炸薯條。

( )(4) 在中國，南方人喜歡吃米飯，北方人喜歡吃麵食。

( )(5) 很多人喜歡喝可口可樂。

( )(6) 香港是"美食天堂"，各國的飯菜都有。

( )(7) 星期日，英國人午餐通常吃烤鴨、烤土豆。

( )(8) 德國的香腸很有名。

( )(9) 比利時的巧克力世界有名。

( )(10) 韓國人都喜歡吃意大利麵。

10 Translation.

(1) 他高興極了。

(2) 今天的鷄湯好喝極了。

(3) 他唱的歌好聽極了。

(4) 她做的飯好吃極了。

(5) 香港的高樓多極了。

(6) 他的英語差極了。

11 Match the Chinese with the English.

(1) 太平洋   (a) the Pacific Ocean

(2) 大西洋   (b) the Indian Ocean

(3) 印度洋   (c) Antarctic Continent

(4) 北冰洋   (d) the Mediterranean (Sea)

(5) 南極洲   (e) the Atlantic Ocean

(6) 地中海   (f) the Arctic Ocean

12 Give the meanings of the following phrases.

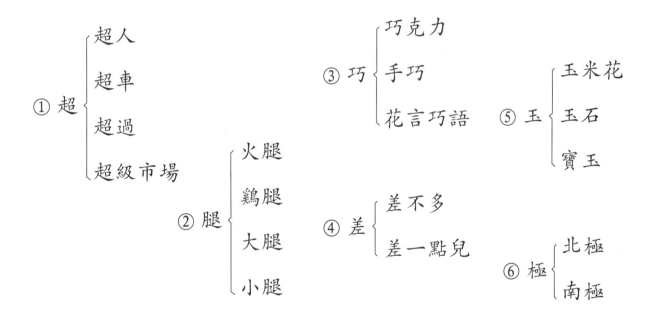

① 超 { 超人、超車、超過、超級市場

② 腿 { 火腿、鷄腿、大腿、小腿

③ 巧 { 巧克力、手巧、花言巧語

④ 差 { 差不多、差一點兒

⑤ 玉 { 玉米花、玉石、寶玉

⑥ 極 { 北極、南極

13 Write a paragraph about your eating habits.

You should include:

—平時吃中餐還是吃西餐？   —喜歡吃什麼肉？

—是不是喜歡吃快餐？   —喜歡吃什麼零食？

—平時吃些什麼蔬菜和水果？

14 True or false?

( )(1) 現在喜歡吃快餐的人越來越多了。

( )(2) 老年人喜歡吃炸薯條、炸雞腿，喝可樂。

( )(3) 現在超級市場越來越多，菜市場越來越少了。

( )(4) 玉米片加牛奶是一種早餐。

( )(5) 在西方，很多人午飯吃三明治。

( )(6) 每天吃少量的巧克力對身體不好。

( )(7) 如果你每天吃一個蘋果，你就不容易生病。

( )(8) 每天飲少量的紅葡萄酒，其實對身體有利。

15 Choose the correct meaning for the dotted phrase.

(a) 艹 grass   (b) 火 fire

(1) 我們要一盤炒豆芽，好嗎？

| (a) bean sprout (b) soya bean (c) bean curd |

(2) 我買了一包茉莉花茶。

| (a) rose   (b) jasmine   (c) chrysanthemum |

(3) 芒果是一種水果。

| (a) durian (b) mango (c) coconut |

(4) 天黑了，路燈亮了。

| (a) moon (b) road (c) street lamp |

(5) 現在很多公共場所都禁止吸煙。

| (a) inhale (b) smoking (c) breathe |

16 Reading comprehension.

文勝，你好！

最近忙嗎？你們學校有沒有期末考試？你們什麼時候放暑假？暑假要去哪兒度假？如果你要來北京，早點寫信給我。

我們現在正在期末考試。我已經考了三門了，我覺得考得不錯。下個星期我們要考數學、物理和化學。對我來說，這三門課越來越難了。

我們7月2日開始放暑假。今年暑假我和家人可能去日本度假，去兩個星期，所以我8月3日到8月17日可能不在北京。我會寫明信片給你的。我們下一個學年9月1日開學。

祝學習好，身體好！

王聰

2006 年 6 月 12 日於北京

Answer the questions.

(1) 王聰下個星期考什麼？

(2) 王聰覺得物理難嗎？

(3) 王聰什麼時候開始放暑假？

(4) 王聰一家人暑假會去哪兒度假？

(5) 王聰的學校下一個學年什麼時候開學？

閱讀（八）　拔苗助長

1　True or false?

( )(1) 宋國的那個農民是個急性子。

( )(2) 農民從來不去他的田裏看他的苗。

( )(3) 農民田裏的苗長得很快。

( )(4) 農民去田裏只拔高了一棵苗。

( )(5) 農民從田裏回到家已經很累了。

( )(6) 農民拔過的苗都死了。

2　Give the meaning of each word.

① 髮 ＿＿＿＿
　拔 ＿＿＿＿

② 苗 ＿＿＿＿
　貓 ＿＿＿＿

③ 課 ＿＿＿＿
　棵 ＿＿＿＿

④ 姓 ＿＿＿＿
　性 ＿＿＿＿
　生 ＿＿＿＿

⑤ 紫 ＿＿＿＿
　繫 ＿＿＿＿
　累 ＿＿＿＿

3　Give the meanings of the following phrases.

① 性 急性子
　　慢性子
　　急性病
　　慢性病
　　性別

② 拔 拔牙
　　拔河

③ 棵 一棵苗
　　一棵大白菜

第十一課　人的身體需要各種營養

1 Answer the questions.

Good for your teeth:		Bad for your teeth:	
(1) 乾果	(5) 奶酪	(1) 蛋糕	(6) 汽水
(2) 玉米花	(6) 橘子	(2) 餅乾	(7) 葡萄乾
(3) 胡蘿蔔	(7) 西紅柿	(3) 糖果	(8) 口香糖
(4) 牛奶		(4) 蘋果汁	(9) 花生醬
		(5) 可樂	(10) 果醬

(1) 你經常吃零食嗎？　　　　　(3) 你吃的零食對牙好不好？

(2) 你一般吃哪些零食？　　　　(4) 吃太多糖果對牙好不好？

2 Answer the questions.

(1) 牛肉主要含有什麼營養？　　(6) 蔬菜沙拉主要含有什麼營養？

(2) 青菜主要含有什麼營養？　　(7) 三文魚壽司主要含有什麼營養？

(3) 奶酪主要含有什麼營養？　　(8) 烤土豆主要含有什麼營養？

(4) 鷄蛋主要含有什麼營養？　　(9) 梨主要含有什麼營養？

(5) 油條主要含有什麼營養？　　(10) 乾果主要含有什麼營養？

Give the meanings of the following phrases.

(1) 無花果 _____

(2) 葡萄乾 _____

(3) 口香糖 _____

(4) 玉米花 _____

(5) 紫菜 _____

(6) 紅薯 _____

(7) 瓜子 _____

(8) 乾果 _____

4 Give the meaning of each word.

① 零 _____
　 需 _____

② 宮 _____
　 營 _____

③ 盾 _____
　 質 _____

④ 指 _____
　 脂 _____

⑤ 放 _____
　 肪 _____

⑥ 誰 _____
　 維 _____

⑦ 暑 _____
　 薯 _____

⑧ 起 _____
　 超 _____

5 True or false?

男孩一天需要的卡路里

9 ～ 11 歲　　2,200

12 ～ 14 歲　2,650

15 ～ 17 歲　2,900

女孩一天需要的卡路里

9 ～ 11 歲　　2,000

12 ～ 14 歲　2,150

15 ～ 17 歲　2,150

( ) (1) 總的來說，男孩需要的卡路里比女孩多。

( ) (2) 12 ～ 17 歲的女孩每天需要 2,150 卡路里。

( ) (3) 9 歲的男孩和 9 歲的女孩每天需要的卡路里一樣多。

96

6 Put the following food into the food pyramid.

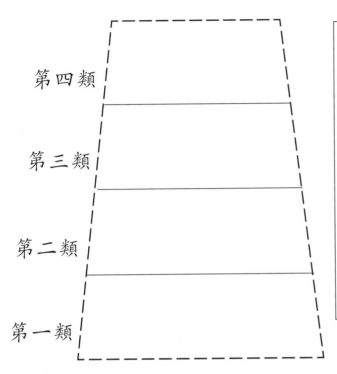

玉米片	香蕉	土豆	玉米
奶油蛋糕	豬肉	乾果	麵條
意大利麵	鷄蛋	橘子	桃子
炸薯條	麵包	牛肉	酸奶
卷心菜	火腿	葡萄	米飯
巧克力	鴨蛋	梨	糖

第四類

第三類

第二類

第一類

7 Find the opposites.

短 高 來
熱 去 直 腳
胖 好 飽 冷 餓
早 頭 瘦 長
差 髮
晚 矮

(1) 早 → 晚

(2)

(3)

(4)

(5)

(6)

(7)

(8)

(9)

(10)

① 張健早飯一般喝一杯豆漿，吃兩片麵包和一根香蕉。午飯在學校吃一個三明治。晚飯通常吃米飯、海鮮、肉、炒菜等。他不常吃甜食。

② 小明只喜歡吃魚、肉、蛋。他不喜歡吃水果，更不喜歡吃蔬菜。他還喜歡吃零食，比如糖果、餅乾、巧克力等。他一天喝好幾罐可樂。他不喜歡運動。

③ 高英吃素。她從來都不吃早飯。每天課間休息的時候，她只吃一小包薯片或一塊巧克力。她午飯吃一小盤蔬菜沙拉和一個蘋果。晚飯通常吃鷄蛋、麵包，喝一碗菜湯。睡覺以前她喝一杯牛奶。

Answer the questions.

(1) 張健早飯吃什麼？

(2) 張健晚飯吃中餐還是西餐？

(3) 小明不喜歡吃什麼？

(4) 小明爲什麼胖？

(5) 高英吃肉嗎？

(6) 高英晚飯時喝什麼？

9 Describe the food below. Choose the words in the box.

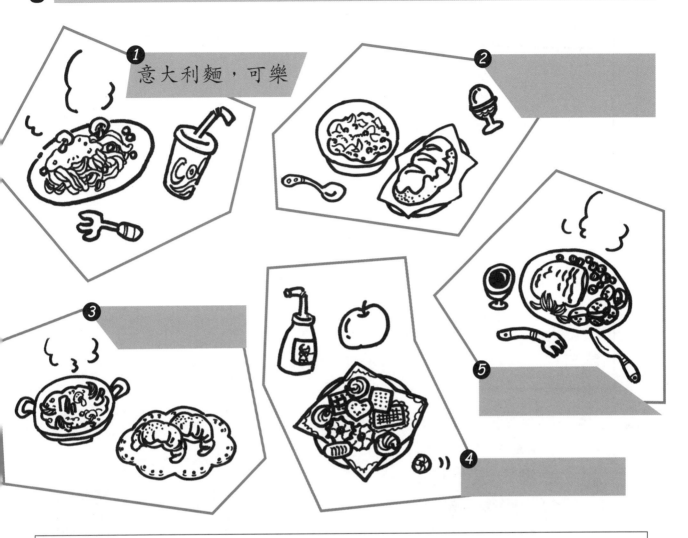

1 意大利麵，可樂

| 牛角包 | 蘋果 | 可樂 | 蔬菜湯 | 酸奶 | 牛排 | 餅乾 |
| 青豆 | 麵包 | 鷄蛋 | 土豆 | 水果沙拉 | 意大利麵 | 葡萄酒 |

10 Translation.

(1) 快餐一般都含有大量脂肪。

(2) 她每天吃兩片維他命c。

(3) 祝爸爸、媽媽身體健康！

(4) 十月以後天氣慢慢轉涼了。

(5) 他們家房子很大，有三室兩廳。

(6) 你需要休息幾天，在家好好養病。

11 Categorize the food according to their nutrients.

碳水化合物	蛋白質	維生素	礦物質	脂肪	纖維

鷄蛋　奶酪　炸薯條　香腸　火腿　薯片　玉米　巧克力

草莓　西紅柿　桃子　胡蘿蔔　青菜　菜花　蛋糕　豬肉

龍蝦　麵條　乾果　葡萄　卷心菜　豆腐乾　生菜　黃瓜

12 Translation.

① 熱狗兩個、薯片一包、可樂一罐

② 烤瘦牛肉一片、烤土豆一個、一些青豆、一杯牛奶

③ 炒蛋、玉米加黄油、薯條、巧克力蛋糕、全脂牛奶一杯

④ 一碗米飯、一小盤炒青菜、一條魚、一杯綠茶

13 True or false?

( )(1) 經常吃快餐對身體不好。

( )(2) 西瓜和冬瓜都是水果。

( )(3) 草莓是水果，南瓜是蔬菜。

( )(4) 小孩吃完糖後應該刷牙。

( )(5) 土豆主要含碳水化合物。

( )(6) 牛奶含有多種營養。

( )(7) 魚肉中主要含有蛋白質和碳水化合物。

( )(8) 蔬菜含有大量的維生素和纖維。

14 Reading comprehension.

a

很多中國人早餐都喜歡吃粥，最常吃的是白粥。吃白粥時，人們喜歡就醬菜、蘿蔔乾、炒蛋或其他小菜。廣東人吃的粥五花八門，比如有魚片粥、牛肉粥、皮蛋瘦肉粥、豬紅粥等。

b

如果你去中國，你可以吃到各種各樣的食物。有些食物你從來也沒有吃過，比如豬耳朵、鴨腸子等。但是有一種食品中國人很少吃，那就是奶酪。

c

法國人喜歡早餐吃牛角包、麵包，抹果醬或黄油，也喜歡喝咖啡。有的人喜歡在咖啡裏加糖和牛奶。

d

水果和蔬菜都含有大量的維生素，但是蔬菜中的礦物質比水果中的礦物質多，所以在日常飲食中，蔬菜、水果都要吃。

True or false?

( )(1) 廣東人吃的粥有好多種。

( )(2) 中國人很喜歡吃奶酪。

( )(3) 法國人早餐不喜歡吃麵包。

( )(4) 蔬菜不含礦物質。

( )(5) 日常飲食中，人們只需吃水果，不用吃蔬菜。

15 Give the meanings of the following phrases.

① 健 { 健康 / 健美 / 健身操 / 健身房

② 礦 { 鐵礦 / 礦工 / 礦山 / 礦物質

③ 素 { 吃素 / 素食

④ 營 { 營養 / 營業時間

⑤ 命 { 維他命 / 生命 / 長命百歲

16 Reading comprehension.

現在亞洲人的飲食越來越西化了。以前亞洲人一日三餐都吃米飯，現在很多人早飯吃麵包和奶類食品。

在商店裏你可以看到各種各樣的西式食品，比如麵包、西餅糕點、薯片、罐頭食品、各種汽水、果汁、意大利麵條、玉米片、黃油、奶酪等等。

以前亞洲人不喜歡喝牛奶，只有一小部分人早餐喝牛奶，可是現在人們知道牛奶含有多種營養，對身體很好，也就喜歡喝了。現在的食品店裏，奶類食品的品種很多，就拿酸奶來說，就有十幾種。

Answer the questions.

(1) 亞洲人以前每餐主要吃什麼？

(2) 現在有些亞洲人早餐吃什麼？

(3) 現在人們為什麼喜歡喝牛奶了？

(4) 西式食品有哪些？

17 Choose the right word.

(1) 我們學校今年（需／零）要買二十部電腦。

(2) 蔬菜和水果都含有大量（誰／維）生素。

(3) 油炸食品中（脂／指）肪很多。

(4) 人體從食物中得到（營／宮）養。

18 Write one sentence for each picture.

Example

肉主要含有蛋白質和礦物質。

閱讀(九) 一舉兩得

1 Give the meanings of the following words / phrases.

(1) 牛_____ (4) 狗 _____ (7) 貓_____ (10) 蝦_____

(2) 龍_____ (5) 熊 _____ (8) 老虎 _____ (11) 魚_____

(3) 馬_____ (6) 熊貓 _____ (9) 大象 _____ (12) 鳥_____

2 Translation.

(1) at the foot of the mountain

(2) the injured tiger

(3) fight for the dead ox

(4) as expected

(5) get two tigers at the same time

(6) the two tigers will definitely fight

3 Give the meaning of each word.

① {興 _____ / 舉 _____ } ② {爭 _____ / 箏 _____ } ③ {半 _____ / 伴 _____ } ④ {臉 _____ / 劍 _____ } ⑤ {頭 _____ / 短 _____ }

4 Give the meanings of the following phrases.

① 傷 {傷風 / 傷口 / 傷心 / 受傷 }

② 鬥 {鬥牛 / 鬥鷄 / 鬥爭 }

③ 虎 {老虎 / 馬馬虎虎 }

④ 舉 {舉手 / 舉重 }

104

生詞

第九課　市場　蔬菜　水果　新鮮　常見　土豆　四季豆　南瓜
西瓜　黃瓜　卷心菜　菜花　西紅柿　胡蘿蔔　蘋果　梨
葡萄　香蕉　桃子　李子　草莓　熱鬧

葉公好龍　十分　喜愛　房間　窗　雪白　巨　繡
受感動　親自　客廳　書房　嚇

第十課　零食　一天到晚　玉米片　香腸　盒飯　火腿　鷄腿　奶酪
罐　（可口）可樂　炸　薯條　薯片　巧克力　餅乾　糖果
……極了　超級市場　越……越……　差

拔苗助長　急性子　農民　辦法　動手　棵　累壞了　這麼

第十一課　需要　營養　得到　食物＝食品　主食　含　碳水化合物
維他命＝維生素　蛋白質　糕餅　大量　脂肪　健康
纖維　礦物質

一舉兩得　山腳下　老虎　爭　殺死　同伴　一定
打鬥　最後　受傷　同時　劍

總複習

1. Fruit, vegetables, food and nutrients

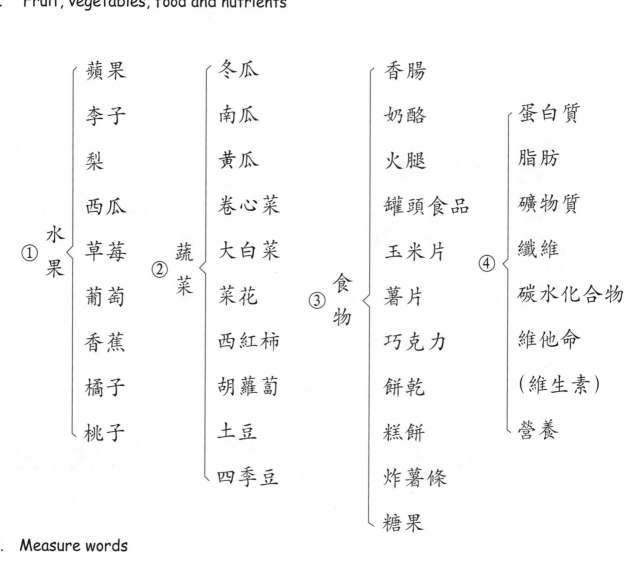

① 水果
- 蘋果
- 李子
- 梨
- 西瓜
- 草莓
- 葡萄
- 香蕉
- 橘子
- 桃子

② 蔬菜
- 冬瓜
- 南瓜
- 黃瓜
- 卷心菜
- 大白菜
- 菜花
- 西紅柿
- 胡蘿蔔
- 土豆
- 四季豆

③ 食物
- 香腸
- 奶酪
- 火腿
- 罐頭食品
- 玉米片
- 薯片
- 巧克力
- 餅乾
- 糕餅
- 炸薯條
- 糖果

④
- 蛋白質
- 脂肪
- 礦物質
- 纖維
- 碳水化合物
- 維他命 (維生素)
- 營養

2. Measure words

(1) 一罐可樂   (2) 一盒巧克力   (3) 一棵苗   (4) 一隻老虎

3. Verbs

繡   受感動   親自   嚇   拔   幫助   動手

舉   爭   殺   鬥   受傷   需要   含有   得到

4. Adjectives and adverbs

新鮮　常見　熱鬧　十分　雪白　差　累　一定

健康　最後　……極了　大量　同時　這麼　巨

5. Conjunctions

(1) 越來越……　　　　　天氣越來越冷了。

(2) 越……越……　　　　他的同伴越等越着急。

6. Radicals

皿　酉　缶　广　魚　工　走　羊

7. Questions and answers

(1) 你常吃什麼水果？　蘋果、香蕉。

(2) 你喜歡吃什麼蔬菜？　四季豆、菜花等。

(3) 你家附近有菜市場嗎？　沒有。

(4) 你通常去哪兒買蔬菜、水果？　超級市場。

(5) 你喜歡吃零食嗎？　喜歡。

(6) 在學校你午飯吃什麼？　吃盒飯。

(7) 你的房間裏有幾個窗子？　一個。

(8) 你房間的墙是什麼顏色的？　白色的。

(9) 你看見過老虎嗎？　看見過。

(10) 你幫媽媽做飯嗎？　有時候幫。

測驗

1 True or false?

( )(1) 巧克力含有大量脂肪。

( )(2) 西瓜是一種蔬菜。

( )(3) 奶酪是用黃豆做的。

( )(4) 米和麵都不是主食。

( )(5) 法國的葡萄酒很有名。

2 List the following in Chinese.

3 Fill in the blanks with the measure words in the box.

罐 件 盒 隻 棵 條

(1) 兩 _____ 可樂

(2) 三 _____ 巧克力

(3) 四 _____ 大白菜

(4) 五 _____ 老虎

(5) 六 _____ 繡花睡衣

(6) 七 _____ 巨龍

4 Translation.

(1) 這種病很常見。

(2) 多吃水果對身體好。

(3) 姐姐常常幫媽媽做飯。

(4) 祝爸爸、媽媽身體健康！

(5) 他的腿受傷了，不能走路了。

(6) 菜市場裏的蔬菜都挺新鮮的。

(7) 他越吃越胖。

(8) 雨越下越大了。

5 Choose the right word.

(1) 葉公家裏的墙上、門上、窗上都（刻／該）了很多龍。

(2) 葉公的衣服上也（透／繡）上了巨龍。

(3) 天上的真龍很（受／愛）感動。

(4) 宋國有個急（性／姓）子的農民。

(5) 兩隻老虎正在（箏／爭）吃一（短／頭）死牛。

(6) （炸／昨）薯條裏含有大量（指／脂）肪。

(7) 蔬菜、水果中含有大量維生（繫／素）。

6 Answer the questions.

燒烤		
豬排	每斤	￥25.00
牛排	每斤	￥30.00
羊排	每斤	￥36.00
生魚片	每斤	￥40.00
鷄腿	每斤	￥20.00
小香腸	每斤	￥15.00
玉米	每斤	￥8.00
紅薯	每斤	￥5.00
生菜沙拉	每盤	￥40.00
水果沙拉	每盤	￥38.00
可樂	一罐	￥6.00

(1) 如果你要一斤豬排、一斤鷄腿、一斤香腸、一盤生菜沙拉、六罐可樂，一共要花多少錢？

(2) 小明一家五口去燒烤。他們要了一斤牛排、一斤玉米、一斤紅薯、一斤鷄腿、一盤水果沙拉、五罐可樂。他們一共花了多少錢？

7   Answer the following questions.

(1) 你昨天吃了什麼蔬菜、水果？

(2) 昨天你一日三餐吃了什麼？

(3) 你平時喜歡吃哪些零食？

(4) 在你們國家人們常吃哪些水果？

(5) 做蛋糕需要什麼？

(6) 你們教室裏的墙是什麼顏色的？

(7) 你家附近的超級市場叫什麼名字？

8   Write an account of your last birthday.

You should include:

—誰來參加你的生日會

—你們在一起吃了什麼

—做了什麼活動

—你覺得生日會過得怎麼樣

9   Extended reading.

多吃水果好嗎？

　　水果裏含有人體需要的多種維生素，而且味道鮮美。許多家長認為，兒童多吃糖不好，但多吃水果沒有害處。

　　吃水果有利於健康，但有些水果吃多了也會有害。例如：草莓、杏、李子等水果，兒童吃多了容易引起中毒；荔枝吃多了，會引起腹痛、腹瀉；橘子吃多了，容易上火；梨吃多了，容易傷胃；柿子吃多了，可導致"胃結石"。

　　因此，水果並不是多吃無害。

True or false?

( )(1) 水果吃得越多越好。

( )(2) 小孩吃太多糖不好。

( )(3) 蘋果吃多了會中毒。

( )(4) 荔枝吃多了，會拉肚子。

( )(5) 胃不好的人不應該吃太多的梨。

( )(6) 胃結石就是胃裏長石頭。

第四單元　買東西

第十二課　大減價的時候商店裏很熱鬧

1　Write the following in Chinese.

(1) 30% 百分之三十　　(5) 10% off _____　　(9) 15% off _____

(2) 1/2 二分之一　　(6) 50% off _____　　(10) 2/5 _____

(3) 20% off 打八折　　(7) 5/7 _____　　(11) 40% _____

(4) 95% _____　　(8) 75% _____　　(12) 2/3 _____

2　Match the Chinese with the English.

(1) 減價　　(a) cheque

(2) 營業員　　(b) reduce the price

(3) 信用卡　　(c) customer

(4) 支票　　(d) shop assistant

(5) 顧客　　(e) cash

(6) 店員　　(f) cheap

(7) 現金　　(g) credit card

(8) 貴　　(h) expensive

(9) 便宜

(10) 售貨員

3　Write the prices in Chinese.

❶ 原價 ¥ 105.00，打九折

現價：九十四塊五毛

❷ 原價 ¥ 8.00，打八五折

現價：_____

❸ 原價 ¥ 23.00，打七折

現價：_____

❹ 原價 ¥ 15.00，打八折

現價：_____

4 Answer the questions.

a

通 知

一到六年級的同學，
放學以後請去禮堂開會。

校長室　9月7日

b

三月一日到三月三十
一日，買200塊以上的商
品一律打八折。

大興百貨商店

c

春節期間（初一到初
五），自助餐成人八折，小
孩半價。

春園飯店

d

本服裝店換季大減
價，所有服裝七折起出售。

時新服裝店

e

最後三日，六折出售
所有貨品。

心意禮品店
9月24日

f

六月一日兒童節所有
文具、玩具半價出售。

歡歡玩具店

(1) 四年級的同學放學後要不要
去禮堂開會？

(2) 3 月 15 日去大興百貨商店買
400 塊錢的東西，應該付多
少錢？

(3) 10 月 1 日這天心意禮品店裏
的東西還打不打折？

(4) 如果年初三去春園飯店吃自
助餐，小孩打幾折？

(5) 時新服裝店裏的衣服打幾
折？

(6) 歡歡玩具店裏的筆，哪天
打折？

5 Act out the following dialogues.

顧客 這塊手錶是不是壞了？

不會吧，可能電池沒電了。我幫您換一節新的電池。 售貨員

	顧 客	售貨員
❶	這塊黃油過期了。我可以退貨嗎？	不可以退，但是我可以換一塊給您。請等一下，我去拿。
❷	這包果汁過期了，不能喝了。我可以換嗎？	當然可以，您自己再去拿一包吧！
❸	這個麵包過期了。我可以換一個嗎？	對不起，這種麵包賣完了。您可以換其他的麵包。
❹	這塊蛋糕裏有一個小蟲子。我可以退錢嗎？	真對不起，當然可以退錢。
❺	這盤帶子是壞的。能不能換一盤？	當然可以。我去幫您拿一盤新的。
❻	這部電視機太貴了。有沒有便宜一點兒的？	有。您看一下這部，價格比較便宜，質量也不錯。

(1) 媽媽，我晚飯吃完了。

(2) 媽媽，你給我的麵條太多了，我吃不完。

(3) 同學們，你們聽明白了嗎？

(4) 老師，您説得太快，我聽不明白。

(5) 老師，這張油畫我畫好了。

(6) 老師，這張水彩畫我今天畫不完。

(7) 他看了一天的書，看完了三本小説。

(8) 小明做完了今天的作業。

7 Choose the correct meaning for the dotted word / phrase.

(1) 坐公共汽車要小心扒手。

(a) 扌 hand　(b) 車 vehicle

(a) pick-pocket　(b) thief　(c) robber

(2) 請大家把安全帶扣好。

(a) fasten　(b) tighten　(c) lift

(3) 他想在暑假裏打點兒工，掙點兒零用錢。

(a) grab　(b) fight　(c) earn

(4) 他家最近買了一輛新車。

(a) vehicle　(b) two　(c) measure word

(5) 她看上去很年輕，不到二十歲。

(a) light　(b) young　(c) old

8 Make up phrases.

(1) ＿＿＿客→客人

(2) 減價→價＿＿＿

(3) 草原→原＿＿＿

(4) ＿＿＿售→售貨員

(5) 付錢→錢＿＿＿

(6) 如今→今＿＿＿

(7) 蛋白質→質＿＿＿

(8) 果然→然＿＿＿

(9) ＿＿＿乾→乾果

9 Read the passage and then write a similar one.

我跟彩雲經常去"格格服裝店"買衣服。我們的衣服大都是從那兒買來的。格格服裝店裏的衣服都是從日本進口的，式樣新，價錢平。還有，買衣服時你可以試穿，買回去的衣服也可以拿回來退換。

格格服裝店今天開始換季大減價。他們爲了吸引更多的顧客，店裏所有的衣服都打了折，連新到的衣服也打了九折。彩雲看中了一件毛衣和一條褲子，我看中了一件襯衫和一條連衣裙。最後我們都買下了自己喜歡的衣服。

You should include:

一你常去哪家服裝店買衣服？

一你爲什麼喜歡那家服裝店？

一那家店跟其他店有什麼不同？

一你最近有沒有去那家店買衣服？

一你最近買了什麼衣服？

10 Change the sentences into the "把" structure.

(1) 我寫完 信 了。→我把信寫完了。

(2) 他戴上了 眼鏡 。

(3) 他做完了 今天的作業 。

(4) 她穿上了 大衣 。

(5) 媽媽買下了 那條裙子 。

(6) 他退了 那件襯衫 。

二手貨廣告

①

男式皮外套

中號、黑色、全新、

半價 $ 300.00

電話：2896 4419

②

電吉他（兩把）

八成新，$ 150.00（每把）

電話：5476 2114

③

小狗、棕色、五個星期大

電話：9677 2843

④

IBM 電腦，兩年，

帶遊戲，$ 800.00

電話：2864 7211

⑤

電視機 21″

彩色，立體聲，

五年，$ 750.00

電話：2545 1198

⑥

YAMAHA 電子琴

九成新，一年，黑色

$ 1200.00

電話：2897 8532

12 Give the meanings of the following phrases.

① 換 { 換車 換季 換錢 換牙 換衣服

② 原 { 原價 原因 草原 平原 高原

③ 售 { 出售 售價 售票員 售貨員

④ 貴 { 貴姓 貴重 寶貴

⑤ 顧 { 顧客 顧問

13 Give the meaning of each word.

① 更 _____ / 便 _____

② 宜 _____ / 姐 _____

③ 感 _____ / 減 _____

④ 餃 _____ / 較 _____

⑤ 貨 _____ / 貴 _____

⑥ 新 _____ / 折 _____

⑦ 友 _____ / 支 _____

⑧ 對 _____ / 付 _____

14 Answer the following questions.

(1) 你喜歡買減價的東西嗎？

(2) 你經常買貴的還是便宜的東西？

(3) 你買東西時一般付現金還是用信用卡？

(4) 你有沒有從網上買過東西？你買過什麼東西？

(5) 你家附近的超級市場叫什麼名字？

(6) 你買東西喜歡去大商場還是去小商店？

15 Find the phrases. Write them out.

如	今	炒	菜	花
母	鷄	蛋	糕	點
魚	湯	白	餅	乾
礦	物	質	量	杯
山	維	生	素	食

(1) _____   (7) _____

(2) _____   (8) _____

(3) _____   (9) _____

(4) _____   (10) _____

(5) _____   (11) _____

(6) _____   (12) _____

16 Translation.

(1) 他走進房間去了。

(2) 你出來一下，可以嗎？

(3) 我帶了一些朋友來。

(4) 他一見到媽媽，就高興地叫了起來。

(5) 春天來了，天氣暖和起來了。

(6) 這幾天，我們又忙起來了。

(7) 外面下起雨來了！

(8) 他們一邊聽，一邊唱了起來。

(9) 我的電話號碼你寫下來了嗎？

(10) 我一走進去，他就不說話了。

(11) 雨一停，孩子們就出去玩了。

(12) 請進來坐一下，喝杯茶。

(13) 請你馬上出去！

(14) 他回學校去了。

17 Choose the answers which apply to you.

(1) 我 _____ 。
(a) 身體非常健康
(b) 不常生病
(c) 常常生病

(2) 我漢字寫得 _____ 。
(a) 很漂亮
(b) 不太好看
(c) 一般

(3) 我漢語說得 _____ 。
(a) 很流利　(b) 不流利
(c) 很慢　(d) 不好　(e) 很差

(4) 我唱歌唱得 _____ 。
(a) 很難聽
(b) 一般
(c) 很好聽

(5) 我做飯做得 _____ 。
(a) 很好吃
(b) 一般
(c) 很難吃

(6) 我長得 _____ 。
(a) 很好看　(b) 一般
(c) 很難看　(d) 很漂亮

閱讀（十）　刻舟求劍

1 Answer the questions.

(1) 楚國人是怎樣過江的？

(2) 什麼東西從船上掉進了
　　江裏？

(3) 劍掉到江裏以後，他有沒有馬
　　上跳進水裏去找他的寶劍？

(4) 他最後找到他的寶劍沒有？

2 Give the meaning of each word.

① 求 ＿＿＿＿
　 球 ＿＿＿＿

② 超 ＿＿＿＿
　 趕 ＿＿＿＿

③ 起 ＿＿＿＿
　 記 ＿＿＿＿

④ 本 ＿＿＿＿
　 笨 ＿＿＿＿

⑤ 包 ＿＿＿＿
　 跑 ＿＿＿＿

3 Give the meanings of the following phrases.

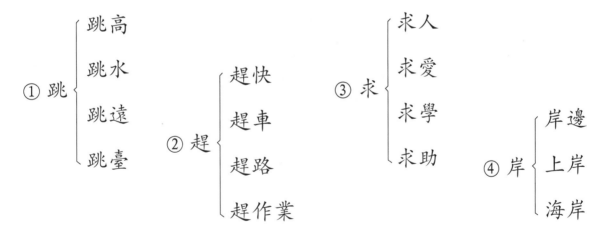

① 跳 ｛ 跳高　跳水　跳遠　跳臺

② 趕 ｛ 趕快　趕車　趕路　趕作業

③ 求 ｛ 求人　求愛　求學　求助

④ 岸 ｛ 岸邊　上岸　海岸

4 Fill in the blanks in Chinese.

　　一天，有個楚國人＿＿＿＿船過江。船到江心的＿＿＿＿候，他的寶劍不小心掉到江＿＿＿＿了。他趕快用刀在船＿＿＿＿刻了一個記＿＿＿＿。他說：“我＿＿＿＿寶劍就是從這＿＿＿＿掉下去的。”

第十三課　我家附近新開了一家便利店

1 Choose the phrases in the box.

相機	牙刷	牙膏	筆記本
課本	鉛筆	文具盒	日記本
鋼筆	尺子	卷筆刀	三角尺
橡皮	字典	練習本	圖畫本
直尺	報紙	方格本	彩色筆

(1) 哪些東西應該放在鉛筆盒裏？

_____

_____

_____

(2) 哪些東西應該放在書包裏？

_____

_____

_____

2 Fill in the blanks with the measure words in the box.

塊	隻	把	支	部	件	張	節	本	個	包

(1) 兩 ___ 牙刷

(2) 一 ___ 相機

(3) 四 ___ 電池

(4) 三 ___ 筆

(5) 一 ___ 上衣

(6) 一 ___ 報紙

(7) 一 ___ 橡皮

(8) 一 ___ 筆記本

(9) 一 ___ 相框

(10) 一 ___ 相冊

(11) 一 ___ 文具盒

(12) 一 ___ 菜刀

(13) 一 ___ 雨衣

(14) 一 ___ 餅乾

(15) 一 ___ 雜誌

(16) 一 ___ 熊貓

3 Give the meanings of the following phrases.

(1) 鐵餅 _____

(2) 鉛球 _____

(3) 跳高 _____

(4) 跳馬 _____

(5) 4 × 100 接力賽 _____

(6) 三級跳遠 _____

(7) 百米短跑 _____

(8) 1500 米長跑 _____

4 Find the phrases. Write them out.

方	禮	雜	誌	油
便	宜	品	報	畫
利	相	框	紙	幣
店	片	冊	杯	麵

(1) _____   (5) _____

(2) _____   (6) _____

(3) _____   (7) _____

(4) _____   (8) _____

5 Label the food and drinks in Chinese.

1 sweets

2 fruit

3 vegetables

4 potato
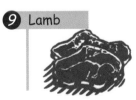

5 rice

6 juice

7 egg

8 butter

9 Lamb

10 bread

11 drinks

12 cheese

13 milk

14 fish

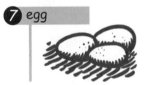

6 Answer the questions.

ⓐ 所有的日用品一律七折
出售

ⓑ 電視機、電話機打六折

ⓒ 罐頭食品打七五折

ⓓ 男、女服裝打八折

ⓔ 運動衣半價出售

ⓕ 床上用品打六五折

ⓖ 所有文具打七折

(1) 一張床單原價160塊，打折後是多少錢？

(2) 一套運動衣原價是180塊，現價是多少？

(3) 日立彩色電視機打幾折？

(4) 一件繡花襯衫原價是120塊，打折後的價錢是多少？

(5) 牙刷、牙膏打幾折？

(6) 兩支鋼筆、一塊橡皮原價一共56塊，打折後可以便宜多少錢？

(7) 魚罐頭有沒有打折？

7 Give the meanings of the following phrases. Pay attention to the radicals of the dotted characters.

① 鷄蛋 _____
清楚 _____

② 橡皮 _____
相框 _____

③ 鉛筆 _____
英鎊 _____

④ 炸薯條 _____
燒烤 _____

⑤ 退換 _____
拔苗助長 _____
打折 _____

⑥ 香腸 _____
脂肪 _____

⑦ 練習本 _____
維生素 _____

8 | Find the odd one out.

(1) 英鎊　美元　歐元　公元前

(2) 鉛筆　皮球　橡皮　鋼筆

(3) 牙膏　毛巾　牙醫　牙刷

(4) 茶杯　報紙　雜誌　小說

(5) 長相　相機　相框　相冊

(6) 直尺　尺碼　卷尺　三角尺

9 | Match the Chinese with the English.

(1) 北京青年報　(a) Apple Daily

(2) 中國少年報　(b) People's Daily

(3) 人民日報　(c) Oriental Daily

(4) 光明日報　(d) China Children's Daily

(5) 東方日報　(e) Guangming Daily

(6) 蘋果日報　(f) Beijing Youth Daily

10 | Choose the items that you need for each task.

口紅　香水　英鎊　機票

游泳衣　游泳褲　牙刷

牙膏　茶杯　杯子　襪子

運動鞋　外套　雨衣

牛仔褲　太陽鏡（墨鏡）

太陽帽（草帽）　滑雪衣

滑雪褲　毛衣　相機

直尺　三角尺　卷尺

鉛筆　橡皮　白紙

口香糖　毛巾　紙巾

汗衫　短褲　日元

(1) 明年一月你去日本滑雪。
你應該帶什麼東西去？

_____

(2) 你今天有數學考試。你應
該帶什麼文具進考場？

_____

(3) 今年夏天你要去英國玩一
個月。英國夏天天氣多
變，氣溫通常在20～25℃，
但有時候也會很熱，30℃
以上，還常常下雨。你應
該帶什麼去？

_____

11 | Translation.

(1) 請把電視關上。

(2) 請把窗子關上。

(3) 請把門打開。

(4) 請把鞋放好。

(5) 請把書打開。

(6) 請把大衣穿上。

(7) 請把牛奶拿過來。

(8) 先把作業做完再出去玩。

(9) 先把藥吃了再吃飯。

(10) 先把學費交了，然後去買課本。

12 | Reading comprehension.

新 勝 書 店

周 末 大 減 價

所有圖書、文具一律八折出售

營業時間：上午十點－下午五點

美美服裝店

換季大減價

4月2日～4月8日

男、女服裝：大衣、毛衣、

泳衣、外套、

西裝、襯衫等。

營業時間：上午9點－晚上9點

True or false?

( )(1) 美美時裝店每個月都大減價。

( )(2) 美美時裝店不賣兒童服裝。

( )(3) 在新勝書店，你可以買到練習本。

( )(4) 新勝書店也賣牙膏。

( )(5) 新勝書店裏所有的玩具都便宜 20%。

13 Change the following sentences into the "把" structure.

(1) 他借走了 他的尺子 。

→ 他把我的尺子借走了。

(4) 爸爸修好了 相機 。

→

(2) 她花完了 這個月的零用錢 。

→

(5) 小偷偷走了 學校的兩部電腦 。

→

(3) 他退掉了 他剛買的相框 。

→

(6) 他燒掉了 所有的信 。

→

14 Choose the correct meaning for the dotted word / phrase.

(a) 木 wood; tree   (b) 糸 silk

(1) 我房間裏有一個大書架。

(a) TV set   (b) bookshelf   (c) big book

(2) 今天這幢樓裏的電梯壞了。

(a) lift   (b) stairs   (c) flyover

(3) 我家後院有一棵蘋果樹。

(a) pie   (b) flower   (c) tree

(4) 這種毛線又好看又便宜。

(a) knitting wool   (b) thread   (c) hair

(5) "絲綢之路" 是中國古代的

一條商路。

(a) silk   (b) cotton   (c) fabric

15 Give the meanings of the following phrases.

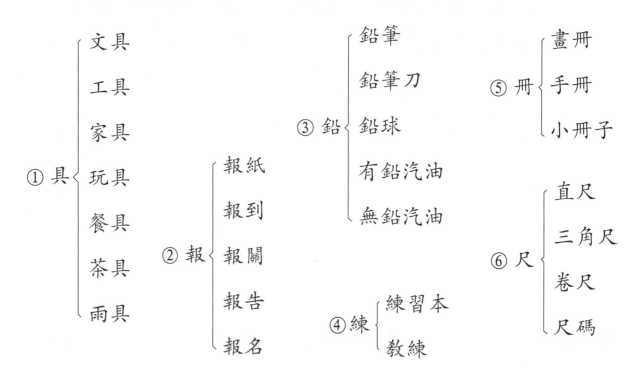

① 具 ⎰ 文具 / 工具 / 家具 / 玩具 / 餐具 / 茶具 / 雨具

② 報 ⎰ 報紙 / 報到 / 報關 / 報告 / 報名

③ 鉛 ⎰ 鉛筆 / 鉛筆刀 / 鉛球 / 有鉛汽油 / 無鉛汽油

④ 練 ⎰ 練習本 / 教練

⑤ 冊 ⎰ 畫冊 / 手冊 / 小冊子

⑥ 尺 ⎰ 直尺 / 三角尺 / 卷尺 / 尺碼

16 Which magazine are you going to read?

(1) 你想知道別人怎樣教育孩子，你會看 ＿＿＿ 雜誌。

(2) 你對足球很感興趣，你會看 ＿＿＿ 雜誌。

(3) ＿＿＿ 雜誌會告訴你今年流行什麼顏色、什麼式樣的衣服。

(4) 你對中國很感興趣，想知道更多關於中國的事，你會看 ＿＿＿ 。

(5) 你想知道中國的青年人在想什麼、做什麼、喜歡什麼，你會看 ＿＿＿ 雜誌。

17 Sort out the following items in the box.

矮	香蕉	高	葡萄
薯片	糖果	鉛筆	醜
梨	蘋果	橡皮	胖
瘦	草莓	碗	餅乾
葡萄乾	乾果	漂亮	鋼筆
三角尺	筆記本	李子	西瓜

(1) 文具 _____

(2) 小吃 _____

(3) 長相 _____

(4) 水果 _____

18 Translation.

(1) 請把帽子戴上。

(2) Please put on your sweater.

(3) 服務員把你的大衣拿來了。

(4) Mum has brought you the dictionary.

(5) 我找到了我的橡皮。

(6) I have finished my oil painting.

(7) 你給我的飯太多了，我吃不完。

(8) You have given us too much homework, we cannot finish.

19 Answer the following questions.

(1) 你常去買東西嗎？

(2) 你常去哪兒買東西？

(3) 買什麼東西時人們會用信用卡？

(4) 你常買雜誌看嗎？買什麼雜誌？

(5) 你常去超級市場買東西嗎？你通常去買什麼？

(6) 你每天寫日記嗎？

(7) 你每天看報紙嗎？看什麼報紙？

(8) 你常去哪兒買文具？

(9) 今天你書包裏帶了什麼？

(10) 今天你文具盒裏有些什麼？

親愛的家長：

　　學校定於8月31日開學。在開學之前，請為您的孩子買好以下物品：

　　1.校服一套：男生　藍格子短袖襯衫、藍色長褲

　　　　　　　　女生　藍格子連衣裙

　　2.運動服一套：藍色汗衫、白色短褲

　　3.文具：兩支鉛筆、一把尺子、一個卷筆刀、一本記事本、一盒彩色筆、一塊橡皮、一本學生字典

　　（書包和鉛筆盒也可以在學校商店買）

　　還有，男生上學一定要穿黑皮鞋、藍襪子；女生穿黑皮鞋、白襪子。襪子也可以跟校服一起買。

　　謝謝您的合作！

育才小學校長：宋國安

2006 年 8 月 5 日

True or false?

( ) (1) 育才小學是一所女校。

( ) (2) 育才小學8月31日開始上課。

( ) (3) 每一個學生都要買一本記事本。

( ) (4) 學校商店也賣皮鞋。

閱讀（十一）　杯弓蛇影

1 True or false?

( )(1) 樂廣常去他朋友家喝酒。

( )(2) 樂廣的朋友病了，因爲他把一條小蛇吃進肚子裏。

( )(3) 杯子裏的蛇是弓的倒影。

( )(4) 樂廣肚子裏也喝進了一條小蛇。

( )(5) 樂廣後來知道了他朋友生病的原因。

( )(6) 樂廣的朋友最後死了。

2 Give the meanings of the following phrases.

① 怪 ⎰ 奇怪　鬼怪　怪物　怪話 ⎱

② 倒 ⎰ 倒水　倒車　倒立　倒數　倒退 ⎱

③ 桌 ⎰ 桌子　桌布　書桌　飯桌 ⎱

3 Translation.

(1) 好久不見了！

(2) 他一下子明白了怎麼回事。

(3) 他的病立刻好了。

(4) 原來酒杯裏的蛇是墻上弓的影子。

(5) 我一直不相信他是小偷。

(6) 於是他出去找他的朋友。

(7) 他四周看看，一個人也沒有。

(8) 爸爸給自己倒了一杯葡萄酒。

第十四課　給媽媽買條真絲圍巾吧

1 Fill in the blanks with the measure words in the box.

| 瓶 | 塊 | 雙 | 條 | 把 | 份 | 家 | 個 | 隻 |

(1) 一＿＿香水

(2) 一＿＿老虎

(3) 一＿＿水果刀

(4) 一＿＿藥水

(5) 一＿＿禮物

(6) 一＿＿手錶

(7) 一＿＿真皮手提包

(8) 一＿＿專賣店

(9) 一＿＿眼鏡蛇

(10) 一＿＿高跟鞋

(11) 一＿＿連衣裙

(12) 一＿＿真絲圍巾

2 Translation.

❶
品名：領帶
顏色：黃色和咖啡色
價格：$380／條
出產地：法國
質地：真絲（只能乾洗）

❷
品名：太太鞋
顏色：紅色、藍色
價格：$500／雙
出產地：香港
質地：真絲、手繡

❸
Product: casual shoes

Colour: brown

Price: $1600 / pair

Place of manufacture: Italy

Material: genuine leather

❹
Product: dress

Colour: red, black

Price: $800

Place of manufacture: Japan

Material: 100% silk (hand wash cold)

3 Answer the questions.

a 七月三十一日前兒童自行車特價 279 元。

b 日本飯碗每個 21 元。買五個送一個魚盤。

c 豆漿機，128 元，送量杯一個。

d 兒童電腦，4,800元一臺，送一個書包。

e 牙刷 16 元一把，買三把送一把。

f 澳洲大米五公斤一包，每包 46.00 元。買一包送一公斤花生油。

g 買兩瓶法國香水，送一支口紅。

(1) 四把牙刷多少錢？

(2) 你要買豆漿機，可以同時得到什麼禮物？

(3) 買 10 公斤澳大利亞大米，同時可以得到什麼？

(4) 你 8 月 5 號去買兒童自行車，價錢是不是 279 塊？

(5) 買 10 個日本飯碗要花多少錢？你同時會得到幾個魚盤？

(6) 你想不花錢得到一個書包，你要先買什麼？

(7) 你要買幾瓶法國香水才可以得到一支口紅？

a
西方人買了禮物後喜歡用漂亮的禮品紙把禮物包起來。拿到禮物的人通常會馬上把禮物打開。但是中國人通常要等客人走了以後才把禮物打開。

b
西方人去別人家吃飯時常常喜歡帶鮮花、葡萄酒或巧克力。

c
香港市面上出售的鮮花，大部分是從東南亞或歐洲國家空運來的。

d
要想讓鮮花開得時間長久，應該把花放在陰涼和通風的地方，還要每天換水。

True or false?

( ) (1) 中國人通常不在客人面前把禮物打開。

( ) (2) 西方人喜歡把禮品包起來以後送人。

( ) (3) 西方人去別人家吃飯時通常不帶禮物。

( ) (4) 香港市面上出售的鮮花都是從亞洲運來的。

( ) (5) 鮮花不宜放在高溫、陽光下。

( ) (6) 要想讓鮮花開得時間長久不能每天換水。

5 Change the passage into a dialogue.

今天下午我去百貨商店買毛衣了，因為十一月份北京天氣開始轉冷了。我看中了一件毛衣，顏色、式樣都挺好的，就是太貴了。我問營業員可不可以打折，他說國營商店的商品一般不打折。我特別喜歡那件毛衣，所以我還是想買。不巧的是，我當時帶的現金不夠，還好，營業員說可以用信用卡。於是，我用信用卡買下了那件毛衣。

營業員：

顧客：

6 Match the words with the radicals.

(1) 片 (slice) _____

(2) 瓦 (tile) _____

(3) 齒 (tooth) _____

(4) 夕 (sunset) _____

(5) 忄 (feeling) _____

(6) 牛 (animal) _____

(7) 金 (metal) _____

(8) 木 (wood) _____

(9) 頁 (page) _____

(10) 貝 (treasure) _____

齡	够	牌	物
快	瓶	鎊	框
特	顧	怪	貴
貨	棵	費	顏

1 這是一家專門賣自然、健康食品的商店。你在那裏可以買到玉米麵、黃豆、紅米及一些藥品。

2 這家花店賣各種鮮花，還可以為顧客做各種花籃，送貨上門。

3 這是一家藥房。在那裏你不但可以買到各種藥品、補品、日用品等等，還可以沖印相片。

4 這家電影院下個月開始放新電影《超人》。今天的電影，看兩場只需10塊美金。

5 這家書店賣各種書，比如小説、故事書、小人書等。他們還賣當天的報紙、最新的雜誌、各種卡片和文具用品。

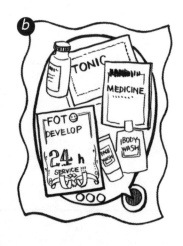

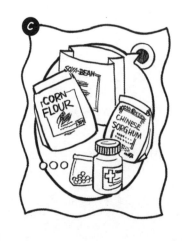

8 Give the meanings of the following phrases.

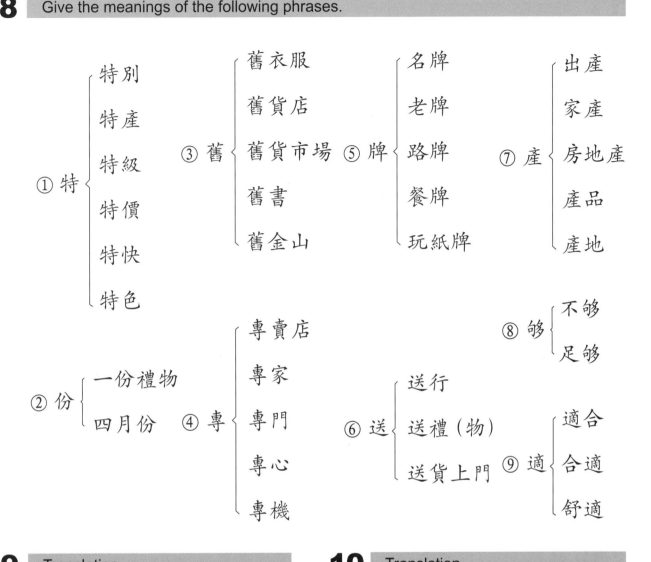

9 Translation.

(1) 高級無鉛汽油

(2) 最新中、外流行音樂帶大特價

(3) 春節特價

(4) 秋季大減價

(5) 雷明演唱會今天開始售票

(6) 外幣找換

(7) 中式家具專賣店

10 Translation.

(1) Thank you for your present.

(2) I am looking for a pair of shoes.

(3) I am tired and hungry.

(4) Can I try it on?

(5) I haven't got enough money with me.

(6) I bought a bottle of perfume for my mother.

a

舊車換新車

本店有日本車、美國車和德國車。如果你想用舊車換新車，請你把舊車開到本店。折價後，你只需再付一定的差價，便可以得到一部新車。

請電 5464 7891　大發車行

b

舊琴換新琴

您想換新鋼琴嗎？請打電話給本店，我們會親自上門爲您的舊鋼琴折價。您付完錢後，本店會安排把舊琴運走，把新琴運到您家。

電話：4568 2110　百花琴行

c

租車

日租 $380.00 起，全新汽車、貨車。如果租一個星期，可以打八折；租兩個星期以上打七五折。

電話：6474 8801　大興車行

d

平價出租

樓房，500平方尺起，全套家具，月租 $7000 港幣起。樓下有停車場，車位月租 $1500。

電話 2678 4422　寶山房地產

Answer the questions.

(1) 大發車行賣哪個國家的車？

(2) 大發車行收不收舊車？

(3) 百花琴行有送貨服務嗎？

(4) 大興車行出租什麼車？

(5) 租一星期車，要花多少錢？

(6) 寶山房地產出租的樓房，租金包不包停車費？

12 Fill in the blanks with "的"、"地"、"得"。

(1) 這是他＿＿橡皮。

(2) 他寫字寫＿＿很漂亮。

(3) 他大聲＿＿叫賣他＿＿矛和盾。

(4) 弟弟高興＿＿說他數學考試得了 100 分。

(5) 我爸爸＿＿秘書在舊金山出生。

(6) 她彈鋼琴彈＿＿很好聽。

(7) 今天商店裏＿＿顧客真多。

(8) 爺爺着急＿＿問："火車幾點開？"

(9) 德國出產＿＿大部分貨品質量都不錯。

(10) 我送給她＿＿真絲圍巾是英國名牌。

13 Translation.

(1) 東西越來越貴了。

(2) 桌子上沒有書。

(3) 我聽不見你說什麼。

(4) 真奇怪，我的真絲圍巾不見了。

(5) 她們姐妹倆長得真像。

(6) 她看上去年齡不大。

(7) 名牌貨一般比較貴，但是質量好。

(8) 我想去美國上大學，但是媽媽不同意。

(9) 爸爸穿這套西裝挺合適的。

(10) 專賣店裏的商品一般不便宜。

(11) 請大家安靜！

(12) 祝你生日快樂！

還有兩天就是父親節了。小花不知道給爸爸買什麼禮物。

她爸爸是一家進出口公司的總經理，經常出差去其他國家。他一年到頭很忙，常常不在家，很少有假期。小花很想他。這次她想買一份特別的禮物，讓他帶在身上，一看見它，就可以想起她。朋友小雲說應該買一塊錶給爸爸。他可以每天戴在手上。朋友小方說可以買一個相框，把她的相片放在裏面。小花心想，那我今年就買相框，明年再買手錶吧！

Answer the questions. Write a similar essay.

(1) 小花為什麼要買禮物給爸爸？

(2) 她爸爸做什麼工作？

(3) 她爸爸經常去哪兒？

(4) 她想買什麼樣的禮物？為什麼？

(5) 她今年會買什麼禮物給她爸爸？

(6) 她明年會買什麼禮物給她爸爸？

15 Translation.

(1) 她的頭髮長長的，個子高高的，臉圓圓的。

(2) 她每天都穿得漂漂亮亮的。

(3) 媽媽把衣服洗得乾乾淨淨的。

(4) 海上有大大小小的船。

(5) 慢慢吃，別着急。

(6) 他在床上舒舒服服地睡了一覺。

(7) 這個孩子圓圓的頭，大大的眼睛，真可愛。

(8) 同學們正在明亮的教室裏上課。

(9) 他急急忙忙地跑了出去。

(10) 弟弟好奇地問媽媽："人是從哪裏來的？"

16 Reading comprehension. Write your own point of view.

買衣服的時候，我先看價格。如果不貴，我再看式樣。如果式樣不新，雖然便宜，我也不會買。然後我再看顏色，看質量好不好。如果質量不太好，但式樣新，顏色也好看，價格也不貴，我有時也會買。當然我也會想一想是不是適合我穿。最後我會看一看衣服的出產地。

顏色	質量	合適
✓	✓	✓

價格	式樣	出產地
✓	✓	✓

閱讀（十二）　對牛彈琴

1　True or false?

(　)(1) 姓公的琴師很會彈琴。

(　)(2) 公先生給牛彈了三首曲子。

(　)(3) 牛很喜歡聽音樂。

(　)(4) 牛喜歡聽小牛和蟲子叫。

2　Translation.

(1) it is said

(2) A cow is quietly eating the grass.

(3) to play a melody

(4) He started to play happily.

(5) The cow seemed to have heard nothing.

(6) The cow shook its head, and moved its ears and tail.

3　Give the meaning of each word.

① 專 ＿＿＿＿
　 轉 ＿＿＿＿
　 傳 ＿＿＿＿

② 筆 ＿＿＿＿
　 畫 ＿＿＿＿

③ 典 ＿＿＿＿
　 曲 ＿＿＿＿

④ 張 ＿＿＿＿
　 彈 ＿＿＿＿
　 引 ＿＿＿＿

⑤ 爭 ＿＿＿＿
　 靜 ＿＿＿＿
　 淨 ＿＿＿＿

4　Give the meanings of the following phrases.

① 技 技巧
　　 技術（員）
　　 科（學）技（術）
　　 雜技

② 傳 傳說
　　 傳真（機）
　　 傳球
　　 傳家寶

③ 尾 尾巴
　　 從頭到尾

④ 曲 一首曲子
　　 歌曲
　　 樂曲

生詞

第十二課　減價　商店　商場　各種各樣　商品　比較　貴　質量
　　　　　大都　把　退換　便宜　出售　顧客　打八折　就是說
　　　　　原價　百分之二十　如今　付　現金　支票　信用卡

刻舟求劍　小心　掉　趕快　記號　岸邊　這樣　笨

第十三課　便利店　日用品　牙膏　那裏　那兒　文具　玩具　橡皮
　　　　　鉛筆盒　尺子　練習本　卷筆刀　日記本　筆記本　當天
　　　　　報紙　雜誌　相框　相冊　禮品紙　卡片　居民　方便

杯弓蛇影　奇怪　怎麼回事　原來　一直　倒影　桌子
四周　掛　立刻

第十四課　真絲　送　份　禮物　倆　舊　專賣店　名牌　不行　够
　　　　　認爲　雙　特別　出産　適合　年齡　同意　瓶　香水
　　　　　地　快樂

對牛彈琴　相傳　琴師　技巧　安靜→安安靜靜　曲子
樂曲　好像　不過　而　模倣　叫聲　聲音　尾巴

總複習

1. Shopping

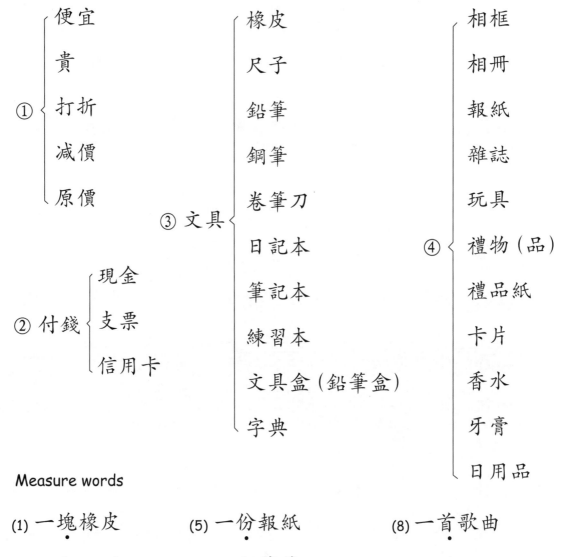

① 便宜
貴
打折
減價
原價

② 付錢
現金
支票
信用卡

③ 文具
橡皮
尺子
鉛筆
鋼筆
卷筆刀
日記本
筆記本
練習本
文具盒 (鉛筆盒)
字典

④
相框
相冊
報紙
雜誌
玩具
禮物 (品)
禮品紙
卡片
香水
牙膏
日用品

2. Measure words

(1) 一塊橡皮

(2) 一把尺子

(3) 一支鉛筆

(4) 一本相冊

(5) 一份報紙

(6) 一瓶葡萄酒

(7) 一雙皮鞋

(8) 一首歌曲

(9) 一條蛇

(10) 一張桌子

3. Verbs

退　換　出售　付錢　掉　倒　掛　送

出產　同意　認爲　模做

4. Adjectives and adverbs

貴　　便宜　　比較　　趕快　　够　　特別　　小心

安靜　　笨　　奇怪　　原來　　方便　　一直　　一下子

立刻　　舊　　快樂

5. Grammar

(1) The usage of "之"	(a) 百分之八十（80%）
	(b) 四分之一（1/4）
(2) Complement of result	(a) 我退掉了昨天買的皮鞋。
	(b) 我買不到給媽媽的生日禮物。
(3) "把" structure	(a) 請你把窗子打開，好嗎？
	(b) 他把兩包薯條全部吃光了。
(4) Complement of directions	(a) 他突然笑起來了。
	(b) 她走進去，然後又走出來了。
(5) The particle "地"	(a) 他奇怪地問我："你怎麼了？"
	(b) 那條狗大聲地叫了起來。
(6) Repetition of adjectives	(a) 安靜→安安靜靜
	(b) 高興→高高興興

6. Opposites

(1) 貴—→便宜　　(4) 笨—→聰明

(2) 加—→減　　(5) 特別—→一般

(3) 舊—→新

7. Questions and answers

(1) 你家附近買東西方便嗎？　挺方便的。

(2) 你一般去哪兒買東西？　我喜歡去大商場買東西。

(3) 今天你的鉛筆盒裏有什麼？　有鋼筆、鉛筆、尺子、橡皮等等。

(4) 今天你的書包裏有什麼？

有課本、練習本、筆記本、筆盒等等。

(5) 你平時寫日記嗎？　不寫。

(6) 你常看報紙嗎？看什麼報紙？　看。我看《青年報》。

(7) 你通常看什麼雜誌？　看電腦雜誌。

(8) 你喜歡買名牌衣服嗎？　喜歡，但是太貴了。

測驗

1 True or false?

( )(1) 現在越來越多的人買
東西時用信用卡。

( )(2) 牛仔褲適合各種年齡
的人士穿。

( )(3) 打折就是減價。

( )(4) 相框也是一種玩具。

( )(5) 名牌貨一般都比較貴。

( )(6) 中國出產很多種茶葉。

( )(7) 蛇有很多腳。

2 Fill in the blanks with the measure words in the box.

塊　把　支　本　份　瓶　雙　首　條　張　臺　盒

(1) 這 ＿＿＿鞋比那 ＿＿＿鞋便宜。

(2) 琴師給牛彈了一 ＿＿＿樂曲。

(3) 草裏有一 ＿＿＿蛇。

(4) 你帶了幾 ＿＿＿橡皮？

(5) 這 ＿＿＿尺子是我的。

(6) 幫我買一 ＿＿＿今天的報紙。

(7) 小心，這裏有一 ＿＿＿葡萄酒。

(8) 我房間裏有一 ＿＿＿書桌。

(9) 練習本六塊錢一 ＿＿＿。

(10) 請問這 ＿＿＿鋼筆多少錢？

(11) 我想買一 ＿＿＿巧克力。

(12) 我家買了一 ＿＿＿新彩電。

3 Find the opposites.

(1) 便宜　　(a) 加

(2) 減　　　(b) 慢

(3) 新　　　(c) 貴

(4) 笨　　　(d) 聰明

(5) 一般　　(e) 舊

(6) 快　　　(f) 特別

4 List five items in your school bag and pencilcase.

書包

鉛筆盒

145

5 Fill in the blanks with "的"、"地"、"得"。

(1) 這條圍巾是真絲 _____ 。

(2) 他畫 _____ 馬像真的一樣。

(3) 顧客不高興 _____ 説："我不買了。"

(4) 她穿上校服，高高興興 _____ 上學去了。

(5) 他跑 _____ 真快。

(6) 教室裏非常安靜，學生們正在靜靜 _____ 聽課。

(7) 這家超級市場裏 _____ 貨物很齊全。

(8) 農夫把地裏 _____ 苗一棵一棵 _____ 拔高了。

6 Choose the right word.

(1) 房間裏很安（淨／靜）。

(2) 琴師爲牛（彈／單）了一首好聽的樂（典／曲）。

(3) 他爲客人（倒／到）了一杯酒。

(4) 我家附近有一家文（具／真）店。

(5) 借（像／橡）皮用一下，好嗎？

(6) 你付現（全／金）還是付信用（卡／片）？

(7) 這家店裏的東西比（較／校）貴。

(8) 請你（吧／把）窗子打開。

7 Translation.

(1) 這雙鞋不合適，請幫我換一雙，好嗎？

(2) 這家服裝店裏的衣服今日全部打八折。

(3) 我們學校的學生年齡在 11 歲～ 18 歲。

(4) 你們倆出去玩玩兒吧！

(5) 這個牌子的電視機質量怎麼樣？

8 Write an essay about a shopping experience.

You should include:

— when and where you went shopping

— whom you went with

— what shops you visited

— what you bought

— how much money you spent

— what you think of the place where you shopped

9 Answer the following questions.

(1) 你平時喜歡去哪兒買東西？

(2) 你喜歡買些什麼東西？

(3) 你上個周末去買東西了嗎？買了什麼？

(4) 你平時喜歡看什麼雜誌、什麼報紙？

(5) 你喜歡買名牌貨嗎？買什麼東西？買什麼牌子的？

(6) 你平時去不去超級市場買東西？每周去幾次？

10 Extended reading.

每天快走 45 分鐘可以減肥

現在世界上流行減肥。在書店裏你可以看到很多怎樣減肥的書。專家們提出最容易的減肥方法是"快走"。一個人每天"快走"45 分鐘是最理想的減肥方式。爲什麼要走 45 分鐘，沒有人知道。有些人在工作日沒有時間"快走"，他們可以在周末補回來，比如，周一、三、五快走 45 分鐘，周六、日可以去山裏行山兩、三個小時。除了快走以外，在吃的方面也要多吃低脂肪、高纖維食品，多喝水、少吃肉。

True or false?

( )(1) 現在世界上很多人都不喜歡身體肥胖。

( )(2) 專家們說慢走也可以減肥。

( )(3) 如果一個人每天快走 45 分鐘，就可以變得更瘦。

( )(4) 要是一個人每天運動，他吃很多高脂肪的食物也不會發胖。

147

第五單元　居住環境

第十五課　我們要搬家了

1 Read the description. Label the rooms.

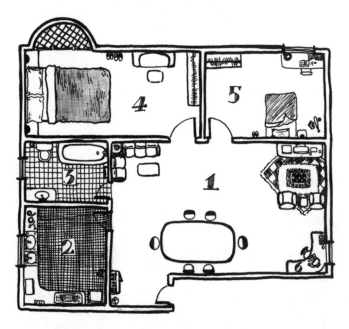

這是我家的平面圖。左上角是父母的臥室，右上角是我的臥室。浴室在父母臥室的隔壁，廚房在左下角。客廳可以三用：一半是客廳，一半是餐廳和書房。客廳的右下角是放電腦的地方。

2 Answer the question. Choose the public facilities in the box.

你家附近有什麼公共設施？

我家附近的公共設施有

_____

_____

_____

_____

_____

_____

農場	游泳池	菜市場
銀行	洗衣店	理髮店
公園	醫務所	便利店
飯店	商場	百貨公司
藥房	小吃店	超級市場
花店	時裝店	兒童遊樂場
教堂	電影院	青少年中心
醫院	家具店	文具店　玩具店

3 Translation.

出 租

三室一廳，850平方尺，月租$18,000，包家具（冰箱、洗衣機、冷氣機、單人床、雙人床、餐桌、沙發）。

請電王明：2689 7628（辦）

2879 3691（宅）

9234 8860（手提）

Flat to Rent

One bedroom flat, 450 square feet, $4,500 per month, furnished (single bed, TV set, fridge, washing machine, air-conditioner, dining table and sofa)

Call Mr. Zhang

2896 3636(O)

2574 1133(H)

9867 1010(M)

---

4 Match the Chinese with the English.

(1) 裝修公司　　(a) chef

(2) 搬家公司　　(b) renovation company

(3) 音樂廳　　　(c) moving company

(4) 廚師　　　　(d) suitcase

(5) 手提箱　　　(e) radiator

(6) 廚房用具　　(f) concert hall

(7) 手提行李　　(g) vehicle

(8) 暖氣片　　　(h) slide

(9) 梯子　　　　(i) office building

(10) 車輛　　　　(j) ladder

(11) 滑梯　　　　(k) hand luggage

(12) 全自動　　　(l) kitchen utensils
　　　洗衣機
　　　　　　　　(m) automatic
　　　　　　　　　　washing machine
(13) 辦公樓

張先生想租一套房子。這一天，他來到了好運房地產公司。

王經理：您想租房還是買房？

張先生：租房。你們有沒有三房一廳的房子出租？

王經理：有。您想花多少錢？

張先生：大約在$15,000到$20,000之間。我想要新裝修、有家具的房子，最好有陽臺的。

王經理：我現在手上有三套這樣的房子。您想不想馬上去看？

張先生：可以。我現在正好有時間。

王經理：那請您先等一下，我馬上給房東打電話。

True or false?

( )(1) 張先生想買一套三房一廳的房子。

( )(2) 張先生最多想花兩萬塊。

( )(3) 他想租帶家具的房子。

( )(4) 他現在沒有時間看房子。

( )(5) 看房前先要給房東打電話。

150

6 Give the meanings of the following phrases.

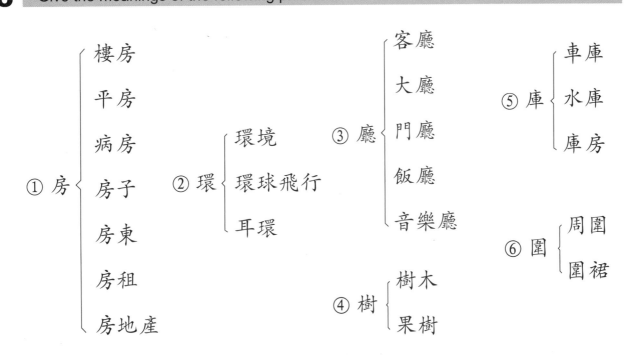

① 房 ⎰ 樓房 / 平房 / 病房 / 房子 / 房東 / 房租 / 房地產

② 環 ⎰ 環境 / 環球飛行 / 耳環

③ 廳 ⎰ 客廳 / 大廳 / 門廳 / 飯廳 / 音樂廳

④ 樹 ⎰ 樹木 / 果樹

⑤ 庫 ⎰ 車庫 / 水庫 / 庫房

⑥ 圍 ⎰ 周圍 / 圍裙

7 Choose the correct meaning for the dotted word / phrase.

(a) 艹 grass   (b) 言 speech

(1) 我怕吃中藥，因為中藥很苦。 (a) sweet   (b) salty   (c) bitter

(2) 她從小就喜歡跳芭蕾舞。 (a) tango   (b) ballet   (c) folk dance

(3) 他是一個誠實的孩子。 (a) honest   (b) diligent   (c) lazy

(4) 我想訂一張去英國的飛機票。 (a) book   (b) make   (c) buy

(5) 我沒有帶借書證，你幫我借這本書吧！

(a) I.D. card   (b) passport   (c) library card

a 寫字樓出租: 1,400平方尺, 價錢平, 新裝修, 有多個車位。請 電9019 8846齊先生。

b 特價套房出租: 三室一廳, 小巴、巴士方便, 全套家具、冷 氣機。請電 2864 1100 王小姐。

c 新裝修套房出售: 兩室或 三室一廳, 樓下有兒童遊樂場。 電話 2144 7866 李先生。

d 商、住兩用樓出租: 100平方 米, 6,500人民幣; 120 平方米, 8,000人民幣, 近市中心。 請電 5437 6299 馬小姐。

e 月租套房: 月租2,000港幣 起, 日租200 港幣起。包家具、 廚房用具及冷氣機。近地鐵出 口。請電 9411 8803 鍾太太。

f 業主出國, 急售半年新樓, 1,500平方尺, 四室一廳, 全新 裝修, 全套家電用品。 電話 5281 0044 田先生。

Answer the questions.

(1) 哪幾個套房是新裝修的？

(2) 哪一套房間近地鐵出口？

(3) 哪幾個廣告是出售房子的？

(4) 哪個廣告裏的房子可以日租？

(5) 如果你家有小孩，租哪套 房間比較合適？

(6) 如果你想租辦公室，你應 該看哪幾個廣告？

9 Read the text below. Fill in the blanks in Chinese.

這是一個比較新的住宅區，那些樓的樓齡只有5年。每幢樓的一樓是大廳和門房，周圍有很多車位。

王先生住的這幢樓共有18層，每層住5戶人家：有兩套三房一廳的，三套兩房一廳的。最近王先生買了一套三房一廳的房子，在第12層，房價是兩百七十五萬港幣。這個住宅區有很多公共設施，比如圖書館、超市、兒童遊樂場、學校、飯店、青少年活動中心等等。王先生很喜歡住在這裏，因為這個小區離他的公司很近，走路5分鐘就到了。

- 樓齡：＿＿＿年
- 王先生住的這幢樓一共有＿＿＿層
- 每層住＿＿＿戶人家
- 王先生家有＿＿＿房＿＿＿廳
- 房價：＿＿＿＿港幣
- 這個住宅區的公共設施有

＿＿＿＿＿＿＿＿＿＿＿＿＿＿

＿＿＿＿＿＿＿＿＿＿＿＿＿＿

＿＿＿＿＿＿＿＿＿＿＿＿＿＿

- 王先生可以 ＿＿＿去上班

10 Translation.

(1) 住宅區（居民區）

(2) 商業區

(3) 工業區

(4) 市區

(5) 郊區

(6) 風景區（旅遊區）

(7) 山區

11 Study the dialogue below. Make similar dialogues.

樂樂

靜靜

靜靜：你今天下午有空嗎？

樂樂：有。什麼事兒？

靜靜：我剛剛租了幾盤錄像帶，都是新電影。你想不想看？

樂樂：想看。我幾點去你家？

靜靜：幾點都行。你吃完午飯就來吧！

樂樂：好吧！一會兒見。

Tasks

(1) 去看電影

(2) 去圖書館借書

(3) 去滑冰

(4) 去買東西

12 Read the two name cards below. Design one for your parents or for someone you know.

❶

新民銀行

王海生　經理

上海靜安區環球大樓413室
電話：2367 8610（辦）
傳真：2367 9491（辦）

❷

王漢青律師行

李新明
中國部經理

北京太古中心1412室
電話：　2627 3838（辦）
　　　　2774 3292（宅）
傳真：　2627 2020（辦）

154

13   Give the meanings of the following phrases. Pay attention to the dotted words.

① 沒有 / 設施

② 陽臺 / 卧室

③ 電梯 / 第一名

④ 他們倆 / 一輛車

⑤ 眼鏡 / 環境

⑥ 壞人 / 耳環

⑦ 褲子 / 車庫

⑧ 一般 / 搬家

⑨ 對不起 / 做作業

⑩ 醫生 / 酸奶

14   Read the text below.

我家有兩室一廳。我的房間在我父母親的隔壁。我家的客廳挺大的，是客、餐兩用廳。客廳旁邊是浴室和廚房。我家不是很大，但是很實用、舒適。

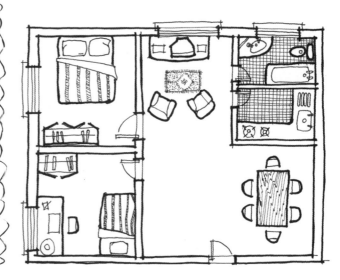

Write a description for the apartment below.

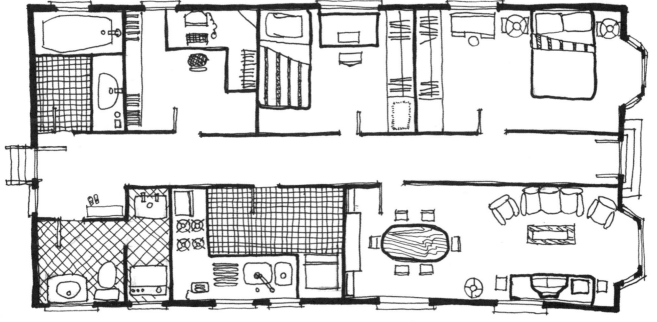

15 Answer the following questions.

(1) 你家住樓房嗎？

(2) 你家有幾間臥室？

(3) 你家周圍的環境怎麼樣？

(4) 你家附近有什麼公共設施？

(5) 你們最近有沒有搬過家？

(6) 你家有陽臺嗎？

(7) 你家離地鐵出口遠不遠？

(8) 你家裏冬天需要暖氣嗎？

(9) 你每天怎麼上學？

(10) 你喜不喜歡現在住的地方？

16 Reading comprehension.

a 綠化環境日 4 月 9 日

b 本公司需要電梯修理工一名

c 您只要動手打一個電話。
新安搬家公司

d 公司、住宅室內裝修。
價格便宜，質量好。

e 歐式住宅區，設施齊全，
環境宜人，設有停車場。

True or false?

( ) (1) 如果你要搬家，你只要
打個電話去就行了。

( ) (2) 住在歐式住宅區的居民
有地方停車。

( ) (3) 有一名電梯修理工想
找工作。

( ) (4) 9 月 4 日是綠化環境日。

( ) (5) 這家裝修公司除了爲
公司裝修，還爲住宅
裝修。

17 Reading comprehension.

二手車廣告

1 HONDA

本田汽車
流行房車，95年，白色，五
門，自動，價錢兩萬八。
請電 2979 3651。

2 NISSAN

藍鳥 Arx，銀灰色，
$25k，5門家庭用車，皮
座，6千公里，冷氣，手
動，晚上 6 點以後請電王
先生 2765 8533。

3 MAZDA

萬事得汽車
97MPV 新車，七座，自動，
九成新，7萬8千。
日電王小姐 2867 3652。

4 BMW

德國寶馬，八成新，客貨
兩用，八座，1萬公里，自
動，6萬6千元。
請電 2547 6232。

Answer the questions.

(1) 哪輛車不是自動車？

(2) 哪輛車最便宜？

(3) 哪一輛汽車是九成新的？

(4) 哪一輛車能運貨？

(5) 哪一輛是德國車？

(6) 哪輛車可以坐七個人？

(7) 哪輛車最貴？

(8) 哪輛車只開了 6 千公里？

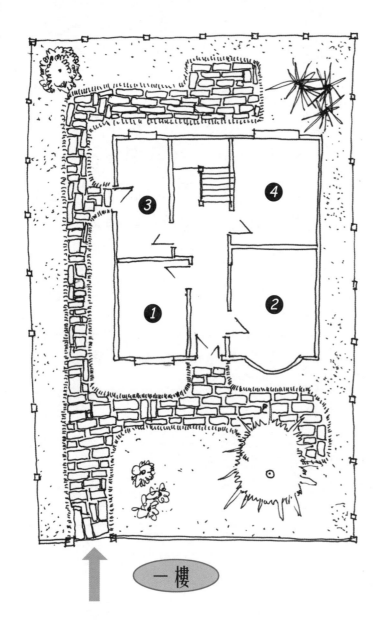

一樓

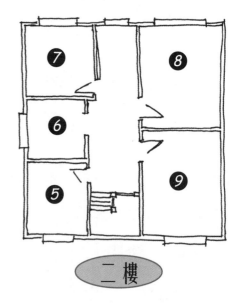

二樓

　　一走進大門，左邊第一個房間是＿＿＿＿＿＿＿＿，右邊第二

個房間是＿＿＿＿＿＿，第三個房間是＿＿＿＿＿＿，第

四個房間是＿＿＿＿＿。上了二樓，左邊的第五個房間是

＿＿＿＿＿，第六個房間是＿＿＿＿＿。第＿＿＿＿

＿＿＿＿＿＿＿＿＿＿＿＿＿＿＿＿＿＿＿＿＿＿＿＿＿＿＿

前花園裏有＿＿＿＿＿＿，後花園裏有＿＿＿＿＿＿。

閱讀（十三）　畫蛇添足

1　Translation.

(1) in the ancient State of Chu

(2) a person who looks after a temple

(3) Whoever finishes drawing the snake first will drink the wine.

(4) Let me add some feet to the snake.

(5) Snakes do not have feet at all.

2　Give the meaning of each word.

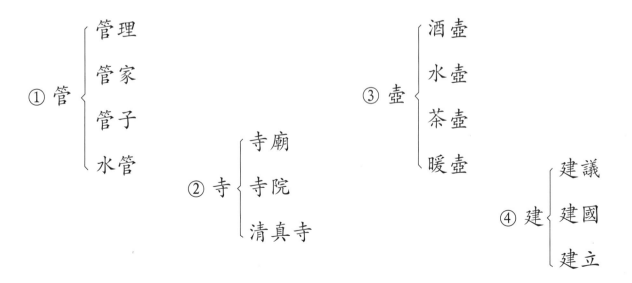

① 館 ＿＿＿＿
　 管 ＿＿＿＿

② 寺 ＿＿＿＿
　 詩 ＿＿＿＿
　 特 ＿＿＿＿
　 等 ＿＿＿＿

③ 亞 ＿＿＿＿
　 壺 ＿＿＿＿

④ 建 ＿＿＿＿
　 健 ＿＿＿＿

3　Give the meanings of the following phrases.

① 管
　 管理
　 管家
　 管子
　 水管

② 寺
　 寺廟
　 寺院
　 清真寺

③ 壺
　 酒壺
　 水壺
　 茶壺
　 暖壺

④ 建
　 建議
　 建國
　 建立

第十六課　我有了自己的房間

1 Describe the rooms in Chinese.

2 Fill in the blanks with the measure words in the box.

| 棵 個 臺 本 部 座 壺 輛 首 架 把 張 支 |

(1) 一 ＿＿＿ 收錄機

(2) 一 ＿＿＿ 計算機

(3) 一 ＿＿＿ 電冰箱

(4) 一 ＿＿＿ 飛機

(5) 一 ＿＿＿ 錄像機

(6) 一 ＿＿＿ 單人床

(7) 一 ＿＿＿ 書桌

(8) 一 ＿＿＿ 酒

(9) 一 ＿＿＿ 寺廟

(10) 一 ＿＿＿ 照片

(11) 一 ＿＿＿ 臺燈

(12) 一 ＿＿＿ 鉛筆

(13) 一 ＿＿＿ 機器人

(14) 一 ＿＿＿ 詞典

(15) 一 ＿＿＿ 電梯

(16) 一 ＿＿＿ 車庫

(17) 一 ＿＿＿ 衣櫃

(18) 一 ＿＿＿ 椅子

(19) 一 ＿＿＿ 書架

(20) 一 ＿＿＿ 照相機

(21) 一 ＿＿＿ 汽車

(22) 一 ＿＿＿ 歌曲

(23) 一 ＿＿＿ 樹

(24) 一 ＿＿＿ 刀

3 Describe the layout of the house in Chinese.

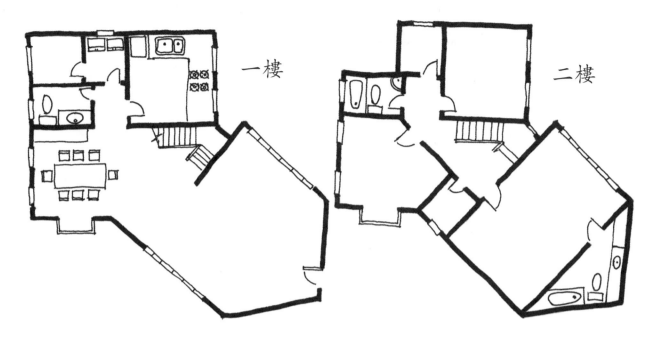

一樓

二樓

這是一座兩層樓的房子。一樓有＿＿＿＿＿＿＿＿＿＿＿＿＿＿＿＿＿＿＿＿＿

＿＿＿＿＿＿＿＿＿＿＿＿＿＿＿＿＿＿＿＿＿＿＿＿＿＿＿＿＿＿＿＿＿＿＿

＿＿＿＿＿＿＿＿＿＿＿＿＿＿＿＿＿＿＿＿＿＿＿＿＿＿＿＿＿＿＿＿＿＿＿

4 Translation.

(1) 他還記着我的名字。

(2) 床的右邊放着一個衣櫃。

(3) 房間的窗是關着的。

(4) 他正在床上坐着看書呢。

(5) 她唱着歌兒進來了。

(6) 爸爸腳上穿着一雙名牌皮鞋。

(7) 他的汗衫上寫着幾個漢字。

(8) 戴着墨鏡的那個人是我哥哥。

(9) 冰箱裏放着牛奶和鷄蛋。

(10) 桌子上放着一盒巧克力。

(11) 椅子上放着一雙鞋。

(12) 床上放着一輛玩具車。

(13) 桌子上放着一個鬧鐘。

5 Choose the best answer.

(1) 鋼筆不應該放在餐桌上，應該放在 _____。

    (a) 筆盒裏 (b) 錢包裏 (c) 書包裏

(2) 鞋不應該放在餐桌上，應該放在 _____。

    (a) 床上　(b) 衣櫃裏　(c) 鞋架上

(3) 錢不應該放在餐桌上，應該放在 _____。

    (a) 書包裏　(b) 手提包裏　(c) 錢包裏

(4) 英漢詞典不應該放在餐桌上，應該放在 _____。

    (a) 櫃子裏　(b) 書架上　(c) 椅子上

(5) 支票本不應該放在餐桌上，應該放在 _____。

    (a) 床頭櫃裏　(b) 手提包裏　(c) 沙發上

6 Translation.

(1) 我的漢語書被人拿走了。

(2) 他們家的房子被水沖壞了。

(3) 排球叫我弟弟拿走了。

(4) 哥哥被他朋友叫出去踢球了。

(5) 他讓蛇嚇得生病了。

(6) 店裏的暖氣機全讓人買走了。

(7) 家裏舊書全給他賣掉了。

(8) 他身上帶的英鎊全叫他花光了。

7   Give the meanings of the following phrases. Pay attention to the dotted words.

① ⎰ 卧室
  ⎱ 鞋櫃

④ ⎰ 錄音機
  ⎱ 綠色

⑦ ⎰ 皇帝
  ⎱ 望遠鏡

⑩ ⎰ 字典
   ⎱ 歌曲

② ⎰ 奇怪
  ⎱ 椅子

⑤ ⎰ 合作
  ⎱ 收拾房間

⑧ ⎰ 餐廳
  ⎱ 聽音樂

⑪ ⎰ 放着
   ⎱ 薯條

③ ⎰ 果汁
  ⎱ 計算

⑥ ⎰ 花布
  ⎱ 希望

⑨ ⎰ 司機
  ⎱ 詞典

⑫ ⎰ 文具
   ⎱ 真絲

8   Write as many sentences as you can.

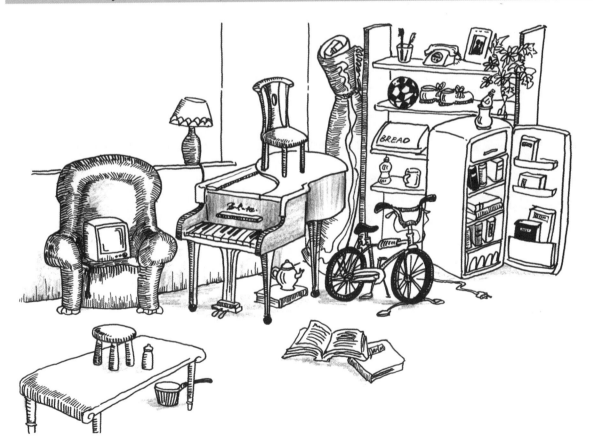

椅子不應該放在鋼琴上，應該放在書桌旁邊。 _____

_____ 。

9 Fill in the blanks with the conjunctions in the box.

不但⋯⋯，而且⋯⋯　　要是⋯⋯就⋯⋯　　一⋯⋯就⋯⋯   因爲⋯⋯，所以⋯⋯　　一邊⋯⋯一邊⋯⋯

(1) 弟弟常常 ＿＿＿＿吃飯 ＿＿＿＿看電視。

(2) ＿＿＿＿他帶的錢不够， ＿＿＿＿他沒買到毛衣。

(3) 他 ＿＿＿＿會唱歌， ＿＿＿＿還唱得非常好聽。

(4) 他總是 ＿＿＿＿寫完作業 ＿＿＿＿玩電腦。

(5) ＿＿＿＿房子是新裝修的，我 ＿＿＿＿想看看。

(6) 他的書架上＿＿＿＿有小説、雜誌，還＿＿＿＿有詞典、參考書等。

(7) ＿＿＿＿有機器人幫我收拾房間 ＿＿＿＿好了。

(8) ＿＿＿＿錄像帶上沒廣告， ＿＿＿＿我喜歡看錄像。

10 Read the text below. Draw the layout of your room and describe it in Chinese.

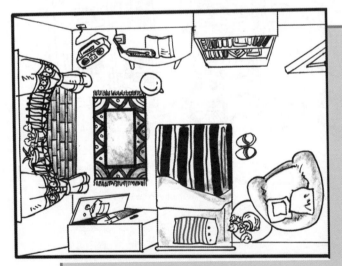

　　我的房間不大，但是很舒適、實用。床的左邊是衣櫃，右邊有一張小桌子，桌子上放着一個花瓶。桌子旁邊是一個單人沙發。

　　床對面是一張書桌，上面有一個臺燈。書桌左邊地上放着一部收錄機，右邊是一個大書架，書架上有很多書。

11 Fill in the blanks in Chinese.

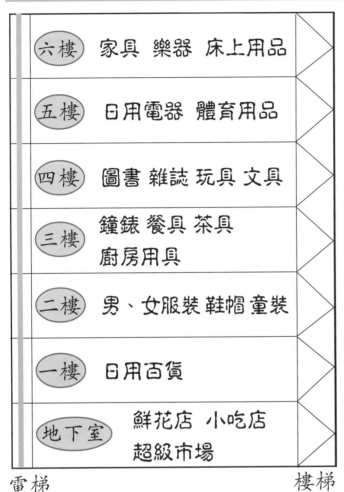

六樓	家具 樂器 床上用品
五樓	日用電器 體育用品
四樓	圖書 雜誌 玩具 文具
三樓	鐘錶 餐具 茶具 廚房用具
二樓	男、女服裝 鞋帽 童裝
一樓	日用百貨
地下室	鮮花店 小吃店 超級市場

電梯　　　　　　　　　　樓梯

(1) 你想買一個鬧鐘，你要上＿＿樓。

(2) 張先生想買一對沙發，他要上＿＿樓。

(3) 鍾太太想買一套床單、被套，她要上＿＿樓。

(4) 馬經理想買一本日記本，他要上＿＿樓。

(5) 胡小姐想買一條連衣裙，她應該上＿＿樓。

(6) 小明要買幾本數學參考書，他得去＿＿樓買。

(7) 王太太要為兒子買一架鋼琴，她要上＿＿樓。

12 Write a reply to the postcard.

小明，你好！

　　收到了你的照片，很高興。你化了裝，再穿上京劇戲裝，真是又好看、又好笑。我差一點兒認不出你來了。你在北京玩得好嗎？去了哪些地方？吃了些什麼？北京的天氣怎麼樣？你哪天回來？請來信告訴我。

小亮

9月3日

165

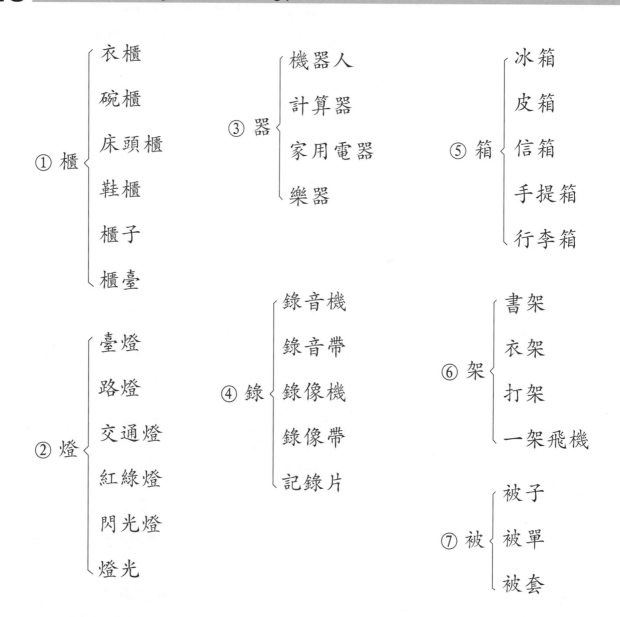

① 櫃 〈 衣櫃 碗櫃 床頭櫃 鞋櫃 櫃子 櫃臺

② 燈 〈 臺燈 路燈 交通燈 紅綠燈 閃光燈 燈光

③ 器 〈 機器人 計算器 家用電器 樂器

④ 錄 〈 錄音機 錄音帶 錄像機 錄像帶 記錄片

⑤ 箱 〈 冰箱 皮箱 信箱 手提箱 行李箱

⑥ 架 〈 書架 衣架 打架 一架飛機

⑦ 被 〈 被子 被單 被套

14 Draw the layout of the room according to the description.

我的房間裏有一張大床，床單是黃色的。我的床在窗戶旁邊。從窗口望出去，可以看到我們家的花園和附近的小學。床旁邊有一張小桌，桌子上有一個臺燈。桌子後面有一把椅子。衣櫃在桌子旁邊。衣櫃兩邊的墙上掛着我家人和朋友的照片。窗子的對面是門。門左邊有一個書架，書架上放着很多書，還放着一個花瓶、一個鐘和一部收錄機。

15 Interview three classmates. Finish the table below.

你希望機器人能幫你做什麼？

同學姓名			
買東西			
收拾房間			
做飯			
洗碗			
洗衣服			
跟你玩			

16 Choose the correct meaning for the dotted word / phrase.

(a) 日 sun   (b) ⺗ fire

(1) 這裏的風景很漂亮，空氣也新鮮。

    (a) wind   (b) scenery   (c) environment

(2) 今年夏天中國北方乾旱，少雨。   (a) flood   (b) wet   (c) drought

(3) 小明經常幫媽媽煮飯，做家務。   (a) boil   (b) fry   (c) steam

(4) 弟弟最喜歡吃煎鷄蛋。   (a) stew   (b) deep fry   (c) fry in shallow oil

(5) 他常常曠課，校長說要開除他。

    (a) play truant   (b) leave early   (c) be late

17 Fill in the blanks with "着"、"了"、"過"。

(1) 他聽＿＿＿音樂就睡着了。

(2) 我去＿＿＿美國兩次。

(3) 他最近買＿＿＿一輛新跑車。

(4) 我的鄰居昨天搬家＿＿＿。

(5) 她腳上穿＿＿＿一雙高跟鞋，
　　走起路來很慢。

(6) 太晚＿＿＿！商店都關門＿＿＿。

(7) 王老師生＿＿＿病，所以他
　　今天沒來上課。

(8) 卡片上寫＿＿＿："祝你生
　　日快樂！"

(9) 墙上掛＿＿＿一把寶劍。

(10) 我去看＿＿＿病了。

18 Describe this room in Chinese.

這個房間裏有一張床、＿＿＿

＿＿＿＿＿＿＿＿＿＿＿＿＿＿＿

＿＿＿＿＿＿＿＿＿＿＿＿＿＿＿

＿＿＿＿＿＿＿＿＿＿＿＿＿＿＿

19 Answer the following questions.

(1) 你家住的是新房子還是老
　　房子？

(2) 你家離市中心近嗎？

(3) 你家住的地方安全嗎？

(4) 你家的廚房和洗手間大
　　嗎？

(5) 你家客廳裏有什麼家具？

(6) 你的房間裏有什麼？

(7) 你家有書房嗎？

(8) 你經常幫媽媽收拾房間
　　嗎？

20 Reading comprehension.

在電器商店裏

營業員：先生，您想看看什麼？

王先生：我想買一臺彩電。

營業員：這幾部是新到的，您要多大的？

王先生：我想看看29英寸的。

營業員：這兩臺都是29英寸的，一臺是日本原裝的，比較貴，6,900港幣；一臺是馬來西亞出的，便宜一些，5,000港幣。您喜歡哪一臺？

王先生：哪一臺圖像、聲音更好一點兒？

營業員：都差不多。

王先生：那我就買日本原裝的。你們店送不送貨？

營業員：送，一個星期之內送到。請問您怎麼付錢？

王先生：用信用卡。

營業員：請寫下您的姓名和電話號碼，我們會打電話通知您的。

王先生：謝謝。

Answer the questions.

(1) 王先生想買什麼？

(3) 王先生買了哪臺電視機？

(2) 哪一臺電視機比較便宜？

(4) 他是怎樣付錢的？

閱讀（十四）　魯王養鳥

1　Answer the questions.

(1) 有一天，魯國國都的郊外飛來了什麼？

(2) 老百姓們爲什麼跑到郊外去？

(3) 魯王下令讓人去做什麼？

(4) 魯王是怎樣養鳥的？

(5) 鳥後來怎麼樣了？

2　Translation.

(1) in the suburbs of the State of Lu

(2) a special sea bird

(3) the civilians

(4) the best music in the palace

(5) The bird is too frightened to eat or drink.

(6) It died in three days.

3　Give the meaning of each word.

① 魚 _____
　 魯 _____

④ 今 _____
　 令 _____

② 瓜 _____
　 抓 _____

⑤ 較 _____
　 郊 _____

③ 卻 _____
　 腳 _____

4　Give the meanings of the following phrases.

① 郊 {
郊外
郊區
郊遊
市郊
遠郊
}

② 神 {
神醫
神奇
神經病
神話故事
}

第十七課 我總算找到了他的家

1 Write the places in Chinese.

(1) 上學的地方→學校

(2) 停車的地方→

(3) 買郵票的地方→

(4) 做運動的地方→

(5) 看病的地方→

(6) 借、還書的地方→

(7) 買日用品的地方→

(8) 能看到各種動物的地方→

(9) 坐地鐵的地方→

(10) 給旅客住的地方→

(11) 買蔬菜、魚、肉的地方→

(12) 給汽車加油的地方→

(13) 買衣服的地方→

(14) 看電影的地方→

| 百貨商店 學校 停車場 電影院 旅館 動物園 郵局 |
| 醫院 圖書館 菜市場 運動場 地鐵站 服裝店 加油站 |

2 Give the meaning of each sign.

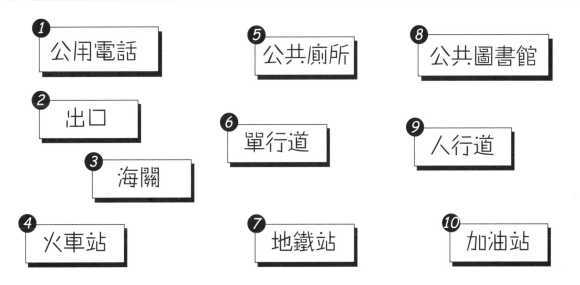

① 公用電話

② 出口

③ 海關

④ 火車站

⑤ 公共廁所

⑥ 單行道

⑦ 地鐵站

⑧ 公共圖書館

⑨ 人行道

⑩ 加油站

3 Fill in the blanks in Chinese.

1 王先生要去游泳池：

他得先往 ＿＿＿ 走，路過一個 ＿＿＿ 字路口，再往 ＿＿＿ 走，到了第 ＿＿＿ 個十字路口向 ＿＿＿ 拐。再往 ＿＿＿ 走，經過 ＿＿＿ 個丁字路口，再經過郵局，他就到游泳池了。

2 張小姐要去電影院：

她先往 ＿＿＿ 走，來到一個路口，往 ＿＿＿ 拐。經過一家醫院，然後向 ＿＿＿ 轉。再往 ＿＿＿ 走，到了路口往 ＿＿＿ 轉，就到電影院了。

3 田美方要去法文小學：

她得先往 ＿＿＿ 走，走到 ＿＿＿ 字路口向 ＿＿＿ 拐，再一直往 ＿＿＿ 走，路過火車站，到了 ＿＿＿ 字路口向 ＿＿＿ 轉，再往前走，再過一個 ＿＿＿ 字路口，就到法文小學了。

4 Fill in the blanks with "就"、"才"。

(1) 你過了這個路口 ＿＿＿能看見車站了。

(2) 你少吃一點 ＿＿＿會瘦下來。

(3) 他吃了兩個星期的藥，病 ＿＿＿好。

(4) 魯王叫人把鳥抓到宮裏，三天以後鳥 ＿＿＿死了。

(5) 他一有時間 ＿＿＿打電話。

(6) 弟弟通常做完作業 ＿＿＿出去玩。

(7) 學校早上八點上課，他每天七點 ＿＿＿到校了。

(8) 生日會六點開始，他七點半 ＿＿＿到。

5 Fill in the form about yourself in Chinese.

姓名：	出生日期： 　年　月　日	出生地：	照
性別：	年齡：	家庭電話號碼：	片
地址：			
護照號碼：	母語：	在家說什麼語言：	
父親姓名及電話號碼：			
母親姓名及電話號碼：			
兄弟姐妹：　　姓名　　　　年齡　　　　性別			
1.			
2.			
你以前上過的學校：			

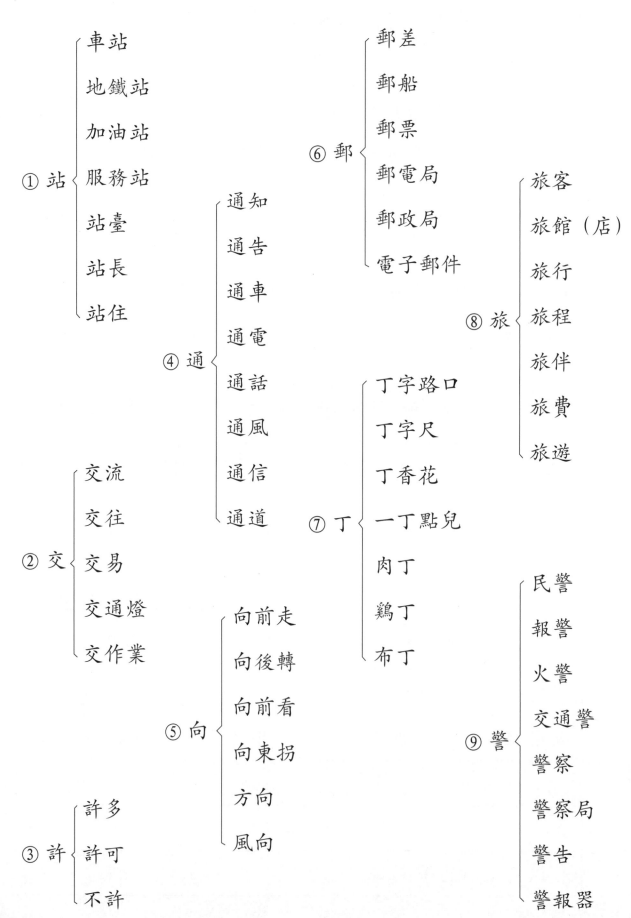

① 站 {
車站
地鐵站
加油站
服務站
站臺
站長
站住
}

② 交 {
交流
交往
交易
交通燈
交作業
}

③ 許 {
許多
許可
不許
}

④ 通 {
通知
通告
通車
通電
通話
通風
通信
通道
}

⑤ 向 {
向前走
向後轉
向前看
向東拐
方向
風向
}

⑥ 郵 {
郵差
郵船
郵票
郵電局
郵政局
電子郵件
}

⑦ 丁 {
丁字路口
丁字尺
丁香花
一丁點兒
肉丁
雞丁
布丁
}

⑧ 旅 {
旅客
旅館（店）
旅行
旅程
旅伴
旅費
旅遊
}

⑨ 警 {
民警
報警
火警
交通警
警察
警察局
警告
警報器
}

7 Find the places on the map.

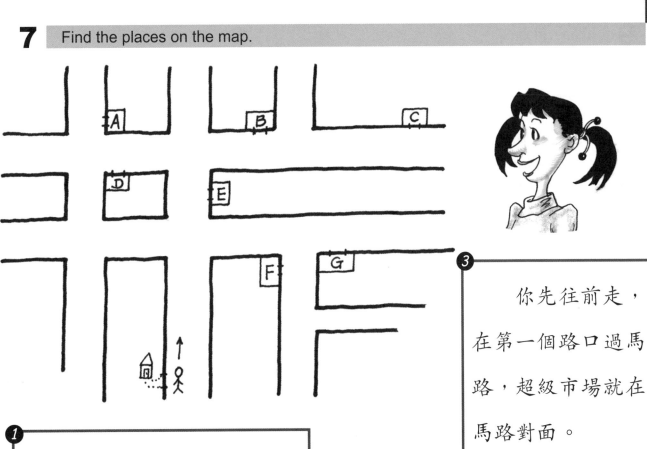

3

你先往前走，在第一個路口過馬路，超級市場就在馬路對面。

（　）

1

一直往前走，走到十字路口往右拐，過馬路。再往前走，到了丁字路口過馬路。百貨商店就在你的右邊。

（　）

2

一直往前走，在第二個路口往左拐。再走一點兒，醫院就在你的左邊。

（　）

8 Find the phrases. Write them out.

普	交	計	總	剛	不
臺	通	打	算	好	得
路	燈	地	址	機	不
郵	局	不	許	多	再
車	票	內	衣	少	次

(1) _____ (6) _____

(2) _____ (7) _____

(3) _____ (8) _____

(4) _____ (9) _____

(5) _____ (10)_____

9   Translation.

(1) 大家都同意他的建議。

(2) He suggested that everyone draw a snake on the ground.

(3) 他本來是歌唱家，現在做了廚師。

(4) I originally planned to come on Friday, but my car broke down.

(5) 花了三個小時，我總算把功課做完了。

(6) He finally found his dog after 5 days of searching.

(7) 我去郵局的時候，郵局正要關門。

(8) When he came to my house in the afternoon, I happened to be out.

(9) 爸爸真希望能買一輛跑車。

(10) I really hope that you can come this summer.

10   Choose the correct meaning for the dotted word / phrase.

(1) 我家門口就有一個報攤。

(a) ⺮ bamboo   (b) 扌 hand

(a) news-stand   (b) stall   (c) publisher

(2) 姐姐洗碗，我擦桌子。

(a) wash   (b) wipe   (c) rinse

(3) 請你在這兒簽名。   (a) sign   (b) name   (c) draw

(4) 請問，附近有郵筒嗎？   (a) post office   (b) mailbox   (c) stationery shop

(5) 請幫我把門推開。   (a) pull   (b) lift   (c) push

11 Answer the questions in Chinese.

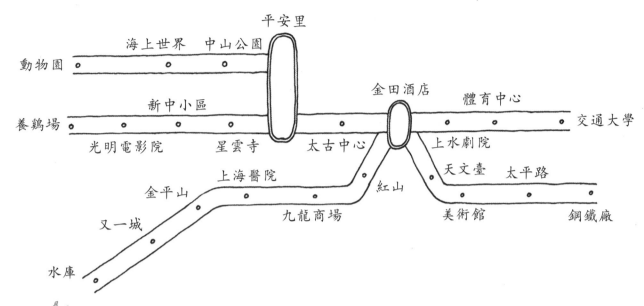

從交通大學怎麼去中山公園？

你先坐去養雞場方向的地鐵，坐5站，到平安里。接着再轉坐去動物園方向的地鐵，坐1站就是中山公園。

(1) 從體育中心怎麼去上海醫院？

(2) 從又一城怎麼去海上世界？

(3) 從太平路怎麼去光明電影院？

(4) 從動物園怎麼去九龍商場？

12 Answer the following questions.

(1) 你家住在市中心嗎？

(2) 你家附近有什麼公共設施？

(3) 你家周圍交通方便嗎？

(4) 你家住在哪兒？

(5) 你家離學校近嗎？

(6) 你家附近有沒有郵局？

(7) 從你家去電影院怎麼走？

(8) 從你家去圖書館怎麼走？

13 Answer the questions.

(1) 從醫院去菜市場怎麼走？

(2) 從百貨公司去停車場怎麼走？

(3) 從電影院去運動場怎麼走？

14 Answer the following questions.

(1) 你這個周末打算做什麼？

(2) 今年暑假你打算去哪兒度假？

(3) 這個星期六你打算去看電影嗎？

(4) 今年夏天你打算去北京旅遊嗎？

(5) 你打算去哪兒上大學？

(6) 你打算在大學裏學什麼？

(7) 你打算以後做什麼工作？

(8) 你打算以後去哪兒工作？

15 Read the passage below. Write a passage about your neighbourhood.

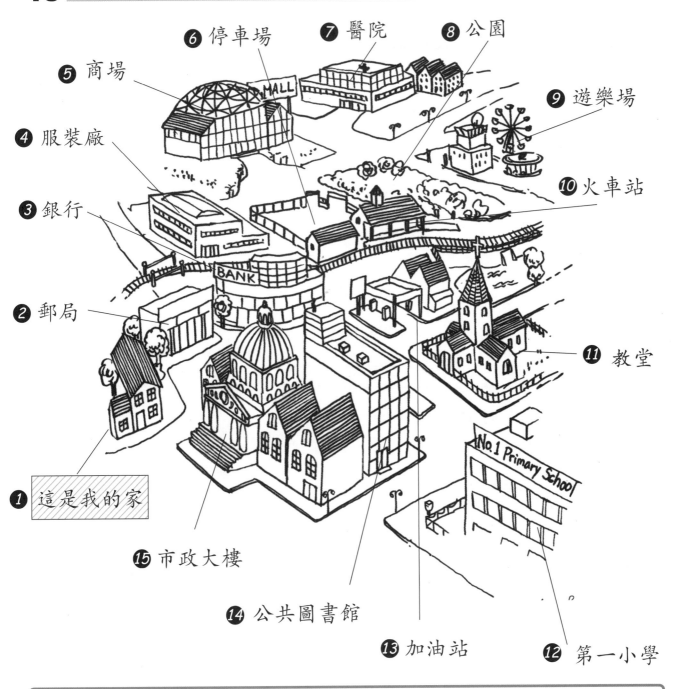

❺ 商場
❻ 停車場
❼ 醫院
❽ 公園
❾ 遊樂場
❹ 服裝廠
❿ 火車站
❸ 銀行
⓫ 教堂
❷ 郵局
❶ 這是我的家
⓯ 市政大樓
⓮ 公共圖書館
⓭ 加油站
⓬ 第一小學

我家左邊是郵局，郵局對面是銀行。銀行旁邊是一家服裝廠。

服裝廠附近有一家商場和醫院。兒童遊樂場就在公園旁邊。火車

站前面是加油站，加油站前面是一座教堂。公共圖書館在教堂對

面，過了馬路就是第一小學。市政大樓在我家對面。

車主：我的汽車被人偷了。

警察：是什麼時候被偷的？

車主：昨天晚上 11 點左右。

警察：你的車昨晚停在哪兒？

車主：停在我家附近的停車場裏。

警察：車是什麼牌子的？

車主：是德國寶馬跑車，是黑色的。

警察：是哪年的車？

車主：去年新買的車，車牌號碼是 DJ1888。

警察：車上有沒有其他貴重物品？

車主：沒有。

警察：請把你的電話號碼和地址告訴我。

車主：我的地址是南京路 126 號，電話 6427 8810。

Make a new dialogue based on the information below.

時間：昨天晚上七點左右

地點：在地鐵上

地址：中山路 8 號 708 室

電話：5438 6670

錢包：黑色、真皮

裏面有 2,000 元現金、兩張信用卡、幾張照片和幾張名片

17 Treasure hunt. The treasure is buried under one of the trees, A, B, C, D, E, F, G or H. Follow the instructions. Good luck!

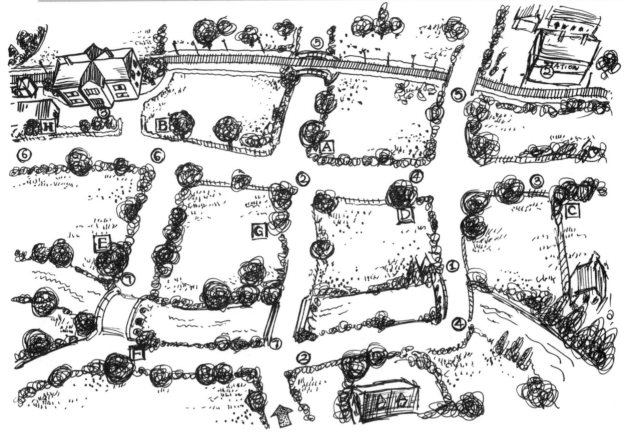

開始

(1) 一直走，看見鐵路停下來。看(5)

往前走，在十字路口往右拐。看(2)

(2) 一直往前走，看見橋往左拐，過橋。看(1)

(3) 走回到大路上。過馬路，看見(6)

(5) 往回走。在最近的十字路口往右拐。看(4)

(6) 往前走一點兒，看見一座橋，不要過橋，站在那兒，面對橋。看(7)

(4) 再往前走，在第二個路口往右拐，走進火車站去看看。看(3)

(7) 不要動。向後轉。在你的左邊有一棵樹。寶物就在樹下。

閱讀（十五） 齊人偷金

1 True or false?

( )(1) 這個齊國人非常想得到金子。

( )(2) 齊國人在夢裏也夢到金子。

( )(3) 齊國人白天不想金子。

( )(4) 有一天齊國人去集市上買鞋。

( )(5) 齊國人從金銀店裏拿了一塊金子就跑。

( )(6) 齊國人最後沒被抓到。

2 Give the meaning of each word.

① 楚 ＿＿＿＿＿＿
  蛋 ＿＿＿＿＿＿

② 售 ＿＿＿＿＿＿
  集 ＿＿＿＿＿＿

③ 政 ＿＿＿＿＿＿
  整 ＿＿＿＿＿＿

④ 跟 ＿＿＿＿＿＿
  根 ＿＿＿＿＿＿

3 Give the meanings of the following phrases.

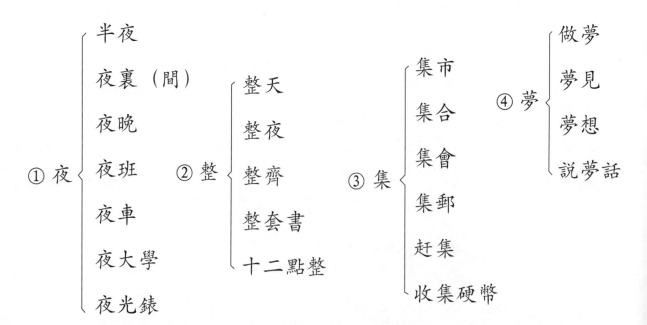

① 夜
  半夜
  夜裏（間）
  夜晚
  夜班
  夜車
  夜大學
  夜光錶

② 整
  整天
  整夜
  整齊
  整套書
  十二點整

③ 集
  集市
  集合
  集會
  集郵
  趕集
  收集硬幣

④ 夢
  做夢
  夢見
  夢想
  說夢話

生詞

第十五課　搬家　住宅區　環境　周圍　樹　設施　齊全
兒童遊樂場　青少年活動中心　醫務所　臥室　廚房
浴室　陽臺　暖氣　冰箱　洗衣機　其他　家具　自動
電梯　車庫　輛　得

畫蛇添足　管　寺廟　手下人　壺　建議　大家
別人　本來

第十六課　開心　天地　單人床　衣櫃　書桌　臺燈　椅子
計算機　書架　着　參考書　詞典　照片　英寸　被
不但……，而且……　節目　錄像　實用　收拾
要不然　希望　機器人

魯國　國都　郊外　老百姓　神　便　下令　抓　卻

第十七課　總算　地址　交通　內　許多　地鐵站　往前走
往回走　往右拐　向前走　方向　郵(政)局　旅館
不得不　接着　十字路口　打算　剛好　警察　才
再次　丁字路口

夜裏　做夢　整齊　集市　根本

總複習

1. Home and neighbourhood

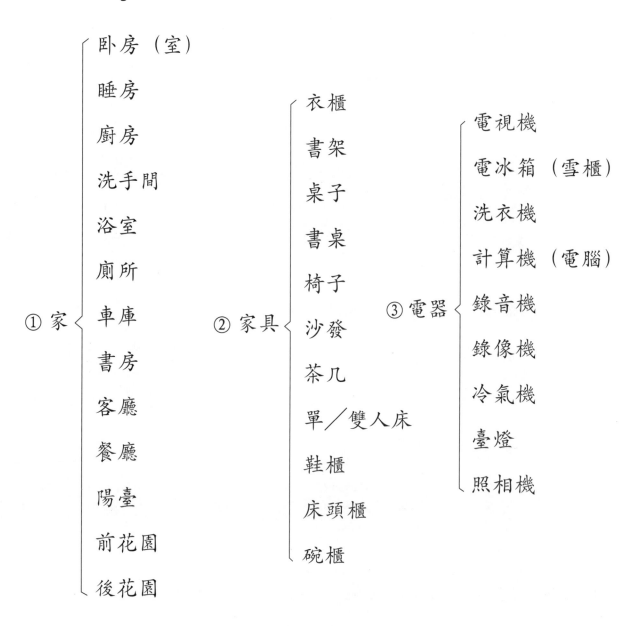

① 家
- 卧房（室）
- 睡房
- 廚房
- 洗手間
- 浴室
- 廁所
- 車庫
- 書房
- 客廳
- 餐廳
- 陽臺
- 前花園
- 後花園

② 家具
- 衣櫃
- 書架
- 桌子
- 書桌
- 椅子
- 沙發
- 茶几
- 單／雙人床
- 鞋櫃
- 床頭櫃
- 碗櫃

③ 電器
- 電視機
- 電冰箱（雪櫃）
- 洗衣機
- 計算機（電腦）
- 錄音機
- 錄像機
- 冷氣機
- 臺燈
- 照相機

④ 問路
- 地址
- 向左拐
- 往右拐
- 一直往前走
- 往回走

- 走五分鐘
- 過馬路
- 十字路口
- 丁字路口
- 坐 3 站

- 交通警
- 看到紅綠燈，向右轉
- 在第一個路口向左拐
- 坐 8 路公共汽車
- 轉車／換車／倒車

⑤ 公共設施

菜市場

銀行

醫務所

學校

教堂

電影院

公共廁所

公園

兒童樂園

體育館

旅館

酒店

郵政局

警察局

圖書館

書店

汽車站

火車站

飛機場

青少年活動中心

⑥ 商店

超（級）市（場）

商場　　　　　乾洗店

百貨商店　　　糕餅店

專賣店　　　　音像商店

便利店　　　　眼鏡店

禮品店　　　　藥店

鐘錶店　　　　飯店

理髮店　　　　快餐店

修鞋店　　　　小吃店

花店　　　　　咖啡館

照相館　　　　茶館

家具店　　　　服裝店

文具店　　　　體育用品商店

燈具店　　　　電器商店

玩具店　　　　樂器商店

洗衣店　　　　廚房用品商店

2. Measure words

(1) 一棵樹　　(2) 一張畫兒　　(3) 一把椅子　　(4) 一架鋼琴

(5) 一壺茶　　(6) 一輛車　　(7) 一間臥室

3. Verbs

希望　　添加　　管　　拐　　建議　　抓　　做夢

打算　　錄音　　錄像　　搬家　　收拾

4. Adjectives and adverbs

齊全　　方便　　本來　　自動　　開心　　實用　　剛好

根本　　總算

5. Grammar

(1) 得　　(a) 我得先做作業，然後再出去玩。

(2) 着　　(a) 燈開着呢。

　　　　(b) 桌上放着一個暖壺。

(3) 不但……，而且……

　　　　(a) 他不但會說中文，而且會畫中國畫。

(4) 被　　(a) 他被蛇咬了一口。

(5) 才　　(a) 她昨晚九點才到家。

6. **Questions and answers**

(1) 你家住什麼樣的房子？　　　樓房。

(2) 你能告訴我你家的地址嗎？　　我家住中山路78號。

(3) 你家有幾間臥室？　　　有三間臥室。

(4) 你有沒有自己的房間？你房間裏有什麼？

我有自己的房間。我的房間裏有一張床、一張書桌和一個書架等等。

(5) 你在家做家務嗎？　　有時候做。

(6) 你家附近交通方便嗎？

方便。我家離地鐵站、汽車站都挺近的。

(7) 你家周圍有什麼公共設施？

有銀行、便利店、小吃店等等。

(8) 你家周圍環境怎麼樣？

不太好，樓很多，車也很多，空氣不好。

(9) 你喜歡現在住的地方嗎？　　挺喜歡的。

(10) 你這個周末打算做什麼？　　可能去租幾盤錄像帶看。

測驗

1   Fill in the blanks with the measure words in the box.

棵	架	壺	輛	間	把	張	瓶

(1) 我家門前停着一＿＿＿貨車。

(2) 奶奶家的花園裏有一＿＿＿蘋果樹。

(3) 酒櫃裏有一＿＿＿酒。

(4) 我家有三＿＿＿卧室。

(5) 天上有一＿＿＿飛機。

(6) 他家的客廳裏放着一＿＿＿鋼琴。

(7) 廚房的桌子上有一＿＿＿茶水。

(8) 我的書房裏有一＿＿＿書桌、一＿＿＿椅子和一個大書架。

2   Choose the right word.

(1) 北京的（頤／卧）和園裏有很多花草樹木。

(2) 你家周圍的環（鏡／境）怎麼樣？

(3) 我的房間裏有一個大衣（貴／櫃）。

(4) 魯國的（郊／校）外飛來了一隻神鳥。

(5) 魯王下（今／令）抓神鳥。

(6) 我家離（郵／油）局不遠。

(7) 學校最近又添了好幾臺計（鼻／算）機。

3   Translation.

(1) 他建議明天去看世界盃足球賽。

(2) 他夜裏常做夢。

(3) 小偷被警察抓到了。

(4) 我常幫媽媽收拾房間。

(5) 弟弟每晚睡覺之前都要先把書包收拾好。

(6) 我找了三刻鐘才找到李先生的家。

4 Study the following map. Then answer the questions.

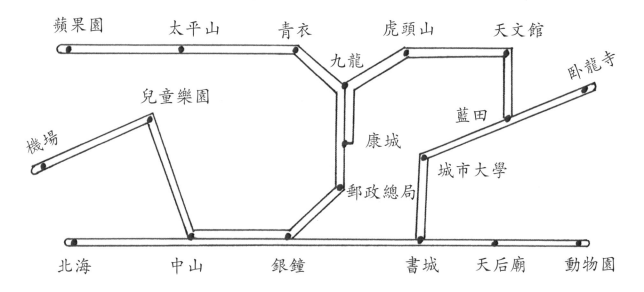

(1) 你現在在銀鐘，想去虎頭山，你怎麼去？

(2) 你現在在書城，要去機場，你怎麼去？

(3) 你現在在太平山，要去城市大學，你怎麼去？

(4) 你在動物園上車，想去兒童樂園，你怎麼去？

5 Look at the map. Answer the questions.

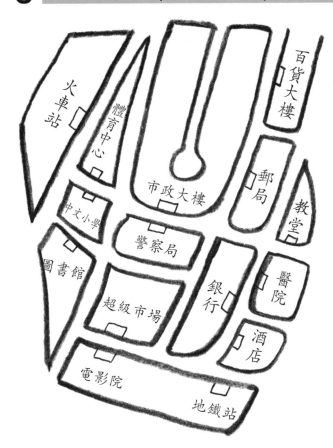

(1) 你從電影院出來，要去郵局，你怎麼走？

(2) 你從圖書館出來，要去火車站，你怎麼走？

(3) 你從百貨大樓出來，要去銀行，你怎麼走？

(4) 你從酒店出來，要去體育中心，你怎麼走？

(5) 你從市政大樓出來，要去地鐵站，你怎麼走？

6 Read the description of the apartment below. Then draw the layout of your apartment / house and describe it in Chinese.

一進門就是我父母的睡房。我的睡房在他們的對面。餐廳在我房間的隔壁。客廳在餐廳的對面。浴室在客廳的隔壁。廁所在浴室的隔壁。浴室的對面是廚房。我們家還有一個後門。

7 Answer the following questions.

(1) 你家住在哪兒？

(2) 你家住什麼樣的房子？

(3) 請你説説你家都有什麼房間？

(4) 你自己的房間裏有什麼？

(5) 你在家裏做家務嗎？做什麼家務？

(6) 你家周圍環境怎麼樣？

(7) 你家周圍有什麼公共設施？

(8) 你家附近交通方便嗎？坐什麼車最方便？

(9) 你父母親希望你以後去哪兒上大學？爲什麼？

(10) 你下個周末打算怎麼過？

(11) 你有沒有學過樂器？學過什麼樂器？

(12) 你喜歡旅行嗎？你去過哪些國家？

8 Write two letters to your friends.

(1) Describe your home.
    You should include:

    — when you moved in
    — a description of your house
    — a description of your own room
    — whether you like or dislike your home
    — your home address and telephone
      number

(2) Describe your neighbourhood.
    You should include:

    — a description of the environment
    — a list of public facilities
    — how you use some of the facilities
    — transportation to school and other places
    — whether you like or dislike your
      neighbourhood

9 Extended reading.

親愛的父母親，你們好！

　　我來到墨爾本工作已經有兩年了。兩年來我一直跟我的朋友光政合租一個兩室一廳的套房。在市區住有好處，也有壞處。好處是交通便利，購物方便，周圍有足夠的公共設施。壞處是那裏沒有安靜的時候，空氣又不清新，人多，車也多。

　　我最近買了一輛房車，雖然不大，但是一個人住足夠了。車上設備齊全：有臥室、浴室、客廳、廚房和一個放雜物的地方。我有一張大沙發床，白天當沙發，晚上當床。我每天早上先開車到火車站，然後坐火車進城上班。晚上我把車停在一棵樹下，前面向海，後面靠山，周圍安靜極了。雖然附近沒有什麼公共設施和商店，但是我也沒覺得不方便。我更喜歡過這種自由自在的生活。我實在不喜歡兩個人合住一個套房，我想睡覺，他想聽音樂；我想看書，他想看電視。如果你們有空，可以來澳洲看看。我會常寫信。

　　祝身體健康，生活快樂！

　　　　　　　　　　　　　　　　　　　　兒子：王聰
　　　　　　　　　　　　　　　　　　　　2001 年 3 月 9 日

Answer the questions.

(1) 王聰剛到墨爾本的時候住在哪兒？

(2) 在市區住，有哪些好處？有哪些壞處？

(3) 王聰現在住在哪兒？他的"房子"裏有什麼設施？

(4) 王聰每天怎麼上班？

191

詞 彙 表

A

ǎi	矮	short
ānjìng	安靜	quiet
ānxīn	安心	be relieved
àn	岸	bank; coast; shore
ànbiān	岸邊	bank; shore

B

bá	拔	pull out; pull up
bámiáo zhùzhǎng	拔苗助長	spoil things because of a desire for quick success
bǎ	把	preposition; measure word
bǎifēnzhīèrshí	百分之二十	20%
bān	般	sort; kind
bān	搬	move; remove
bānjiā	搬家	move (house)
bàn	伴	companion; partner
bànfǎ	辦法	way
bāng	幫	help; assist
bàng	棒	stick; club
bàng	鎊	pound (a currency)
bāokuò	包括	include
bāozi	包子	stuffed steamed bun
bǎo	飽	full
bào	報	report; newspaper
bàozhǐ	報紙	newspaper
bēi	杯	cup; trophy; measure word
bēigōng shéyǐng	杯弓蛇影	be extremely nervous and suspicious
bèi	被	preposition; quilt
běnguó	本國	one's own country
běnlái	本來	originally
bèn	笨	stupid; dull; clumsy
bǐjìběn	筆記本	notebook
bǐjiào	比較	compare; relatively
bì	幣	currency
biàn	變	change; become
biànchéng	變成	turn into
biànhuà	變化	change
biàn	便	convenient; then; as soon as
biànlìdiàn	便利店	convenience store

bié	別	other; don't
biérén	別人	other people
bīngxiāng	冰箱	refrigerator
bǐnggān	餅乾	biscuit
bìng	病	ill; disease
bìngjiàtiáo	病假條	certificate for sick leave
búdàn... érqiě...	不但⋯⋯，而且⋯⋯	not only..., but also...
búguò	不過	but; however
bǔ	補	mend; patch; repair
bǔkè	補課	make up a missed lesson
bù	布	cloth
bùdébù	不得不	have to
bùxíng	不行	won't do; not work

C

cái	才	just; only
càidān	菜單	menu
càihuā	菜花	cauliflower
cān	餐	food; meal
cāntīng	餐廳	dining hall; restaurant
cānkǎoshū	參考書	reference book
cǎo	草	grass; straw
cǎoméi	草莓	strawberry
cè	冊	volume
chá	察	examine
chà	差	fall short of; wrong; poor
chǎn	產	give birth to; produce; estate
cháng	腸	intestines
chángjiàn	常見	common
chāo	超	super-; extra-
chāojí shìchǎng	超級市場	supermarket
chǎo	炒	stir-fry
chǎomiàn	炒麵	fried noodles
chēkù	車庫	garage
chéng	成	accomplish; become; succeed
chéngrén	成人	adult
chéngshì	城市	town; city
chǐ	尺	1/3 meter; ruler
chǐzi	尺子	ruler
chōng	沖	rush; rinse
chūchǎn	出產	produce; manufacture

chūshòu	出售 sell		diǎn	點 put a dot
chūyuàn	出院 be discharged from hospital		diǎncài	點菜 order dishes
chú	廚 kitchen		diǎnxīn	點心 light refreshments; pastry
chúfáng	廚房 kitchen		diànshǎn léimíng	電閃雷鳴 lightning accompanied
chǔ	楚 clear			by thunder
chǔguó	楚國 the State of Chu		diàntī	電梯 lift; elevator
chuāntòu	穿透 pierce		diànyǐngpiào	電影票 movie ticket
chuán	傳 pass on		diào	掉 fall; drop; lose
chuāng	窗 window		dīng	丁 man
cí	詞 word		dīngzì lùkǒu	丁字路口 T- junction
cídiǎn	詞典 dictionary		dìng	定 surely
cōng	聰 acute hearing		dōngnányà	東南亞 Southeast Asia
cōngming	聰明 intelligent; bright		dòngshǒu	動手 start work
cóng nàtiān qǐ	從那天起 from that day on		dòngshǒushù	動手術 have an operation
cóngqián	從前 before; in the past		dòu	鬥 fight
cùn	寸 21/2 centimeters		dòu	豆 beans; peas
			dòufu	豆腐 bean curd
	D		dòujiāng	豆漿 soya-bean milk
			dù	肚 belly; abdomen; stomach
dá	答 answer; reply; respond		dùzi	肚子 belly; abdomen
dǎ bāzhé	打八折 give 20% discount		duì niú tánqín	對牛彈琴 address the wrong au-
dǎdòu	打鬥 fight			dience
dǎsuàn	打算 plan; intend		dùn	盾 shield
dàdōu	大都 mostly; largely		duōshaoqián	多少錢 how much
dàduō	大多 mostly; mainly		duǒ	朵 measure word
dàjiā	大家 all; everybody			
dàliàng	大量 a large number of; a great			
	quantity			**E**
dàshēng	大聲 loudly		è	餓 hungry; starve
dàyuē	大約 about		ér	而 but; yet; while
dān	單 single; list		értóng	兒童 child
dānrénchuáng	單人床 single bed		értóng yóulèchǎng	兒童遊樂場 children's play-
dàn	蛋 egg			ground
dànbáizhì	蛋白質 protein		ěrduo	耳朵 ear
dāngshí	當時 then; at that time			
dāngtiān	當天 the same day			**F**
dāo	刀 knife			
dāokǒu	刀口 cut		fāshāo	發燒 have a fever
dào	倒 pour; reverse		fāxiàn	發現 discover; find
dàoyǐng	倒影 inverted reflection in water		fāngbiàn	方便 convenient
dàoli	道理 reason		fāngxiàng	方向 direction
de	地 particle		fáng	肪 fat
dédào	得到 get; receive		fángjiān	房間 room
děi	得 need; have to		fǎng	倣 imitate; be like
dēng	燈 lamp; lantern		fàngxia	放下 lay down; put down
dìtiězhàn	地鐵站 underground station		fèi	費 fee; expenses
dìzhǐ	地址 address		fēn	分 1/100 of a yuan

193

fèn	份 share; portion; measure word
fū	膚 skin
fǔ	腐 bean curd; rotten
fù	付 pay
fù	富 rich
fùrén	富人 rich person

G

gān	乾 dry; dried food
gǎn	趕 catch up with; rush for
gǎnkuài	趕快 at once; quickly
gǎndòng	感動 be moved
gǎnmào	感冒 common cold
gàn	幹 do; work
gàn shénme	幹什麼 what to do
gānghǎo	剛好 just; happen to
gāngqínjiā	鋼琴家 pianist
gāo	膏 paste; cream
gāobǐng	糕餅 cake; pastry
gāodiǎn	糕點 cake; pastry
gè	各 each; every; different
gè gè	各個 each; every; various
gèzhǒng gèyàng	各種各樣 all kinds of
gēn	根 root; measure word
gēnběn	根本 at all; simply
gǒu	狗 dog
gòu	夠 enough; sufficient
gù	顧 attend to; visit
gùkè	顧客 customer
guā	瓜 melon
guà	掛 hang; put up
guǎi	拐 turn
guài	怪 strange
guānxīn	關心 care for
guǎn	管 pipe; manage
guàn	罐 jar; pot; tin; measure word
guǐ	鬼 ghost
guì	櫃 cupboard
guì	貴 expensive; valuable; your
guódū	國都 national capital
guǒ	果 fruit; result
guǒjiàng	果醬 jam
guǒrán	果然 as expected

H

hǎidàisī	海帶絲 shredded kelp
hán	含 contain
hǎoxiàng	好像 seem; be like
hàoqí	好奇 curious
hē	喝 drink
hé	盒 box; case
héfàn	盒飯 box lunch
hòulái	後來 afterwards; later
húluóbo	胡蘿蔔 carrot
hú	壺 kettle; pot; measure word
hǔ	虎 tiger
huā	花 spend; flower
huāfèi	花費 expenses
huāshēngmǐ	花生米 shelled peanut
huàlóng diǎnjīng	畫龍點睛 add the touch that brings a work of art to life
huàshé tiānzú	畫蛇添足 do something entirely unnecessary
huài	壞 bad; go bad
huàirén	壞人 bad person
huán	環 ring; hoop
huánjìng	環境 surroundings; environment
huàn	換 exchange; change
huángguā	黃瓜 cucumber
huángyóu	黃油 butter
huídá	回答 answer; reply
huǒtuǐ	火腿 ham
huò	或 or; either...or...
huò	貨 goods; money
huòbì	貨幣 currency
huòwù	貨物 goods; commodity

J

jī	鷄 chicken
jīdàn	鷄蛋 egg
jītāng	鷄湯 chicken soup
jītuǐ	鷄腿 drumstick
jīqìrén	機器人 robot
jí	極 extreme; pole
jí le...	極了 extremely
jí	集 gather; country fair
jíshì	集市 country fair; market
jí	急 anxious

jíxìngzi	急性子 an impetuous person	
jì	記 remember; mark; sign	
jìhào	記號 mark; sign	
jì	技 skill	
jìqiǎo	技巧 skill	
jì	計 calculate; meter	
jìsuànjī	計算機 computer	
jiācháng	家常 daily life of a family	
jiāju	家具 furniture	
jià	價 price; value	
jià	架 shelf; measure word	
jiān	堅 hard; firm; strong	
jiānyìng	堅硬 hard; solid	
jiānlì	尖利 sharp; piercing	
jiāng	漿 thick liquid	
jiāo	蕉 broadleaf plants	
jiāo	交 cross; hand over	
jiāotōng	交通 traffic	
jiāo	郊 suburbs; outskirts	
jiāowài	郊外 the countryside around a city	
jiǎn	減 subtract; reduce	
jiǎnjià	減價 reduce the price	
jiǎo=máo	角＝毛 1/10 of a yuan	
jiàn	劍 sword	
jiàn	健 healthy; strong	
jiànkāng	健康 health; healthy	
jiàn	建 build; set up; propose	
jiànyì	建議 suggest; propose	
jiàng	醬 sauce; paste; jam	
jiào	較 compare; fairly	
jiàocài	叫菜 order dishes	
jiàomài	叫賣 hawk	
jiàoshēng	叫聲 noise; cries	
jiēzhe	接着 carry on	
jiémù	節目 programme	
jiè	借 borrow; lend	
jīn	金 gold; golden; money	
jīnhuángsè	金黃色 golden yellow	
jīng	睛 eyeball	
jǐng	警 alert; warn; alarm	
jǐngchá	警察 police	
jìng	境 boundary; area	
jìng	靜 still; calm	
jìng	鏡 mirror; lens; glass	
jiǔ	久 for a long time	
jiùshishuō	就是說 that is to say	
jiù	舊 old; used	

jū	居 reside; residence	
jūmín	居民 resident	
jú	橘 tangerine	
júzi	橘子 tangerine	
júzizhī	橘子汁 orange juice	
jú	局 office; bureau	
jǔ	舉 hold up; lift; deed	
jù	巨 huge; gigantic	
jù	具 utensil; tool	
juǎn	鬈（卷）curly	
juǎnbǐdāo	卷筆刀 pencil sharpener	
juǎnfà	鬈髮 curly hair; wavy hair	
juǎnxīncài	卷心菜 cabbage	

K

kāfēi	咖啡 coffee	
kǎpiàn	卡片 card	
kāixīn	開心 feel happy	
kāiyào	開藥 prescribe medicine	
kànchulai	看出來 make out; see	
kànjian	看見 see	
kāng	康 health	
kāngfù	康復 recover	
kǎo	烤 bake; roast	
kǎoyā	烤鴨 roast duck	
kē	棵 measure word	
ké	咳 cough	
késou	咳嗽 cough	
kě	渴 thirsty	
kě'ài	可愛 lovely	
(kěkǒu) kělè	（可口）可樂 Coke	
kè	克 overcome; gram	
kètīng	客廳 living room	
kèzhōu qiújiàn	刻舟求劍 act without regard to changing circum-stances	
kù	庫 storehouse	
kuàicān	快餐 fast food	
kuàilè	快樂 happy	
kuài=yuán	塊＝元 yuan	
kuāng	框 frame	
kuàng	礦 mine	
kuàngwùzhì	礦物質 mineral	
kuò	括 include	

L

lǎobǎixìng	老百姓	civilians
lǎohǔ	老虎	tiger
lào	酪	thick fruit juice; fruit jelly
lèi	累	tired
lèihuàile	累壞了	exhausted
lěngpán	冷盤	cold dish
lěngyǐn	冷飲	cold drink
lí	梨	pear
lǐ bái	李白 (701-762)	a famous poet in the Tang Dynasty
lǐpǐnzhǐ	禮品紙	wrapping paper
lǐwù	禮物	gift; present
lǐzi	李子	plum
lì	立	stand; set up
lìkè	立刻	immediately
liàn	練	practise
liànxíběn	練習本	exercise-book
liǎng	倆	two
liàng	輛	measure word (for vehicles)
lín	鄰	neighbour
línjū	鄰居	neighbour
lìng	齡	age; years
líng	零食	snacks
língshí	令	command; cause; season
lìng	另	other; another
lìngwài	另外	in addition; besides
liáng	量	measure
liáng tǐwēn	量體溫	take sb.'s temperature
lóngxiā	龍蝦	lobster
lǔ	魯	stupid; rough; surname
lǔguó	魯國	the State of Lu
lù	錄	record
lùxiàng	錄像	video
lǔ	旅	travel
lǔguǎn	旅館	hotel
luó	蘿	trailing plants

M

mǎshàng	馬上	at once; immediately
máo	矛	spear
máodùn	矛盾	contradictory
mào	冒	emit; send out
méi	莓	certain kinds of berries

měiyuán	美元	U.S. dollar
mèng	夢	dream
mǐ	米	meter; rice
miànbāo	麵包	bread
miàntiáo	麵條	noodles
miáo	苗	young plant; seedling
miào	廟	temple
mín	民	the people
míng	鳴	ring; sound
míngbai	明白	understand
míngpái	名牌	famous brand
mìng	命	life; fate
mó	磨	rub; wear; grind
módāoshí	磨刀石	grindstone
mó	模	pattern; imitate
mófǎng	模倣	imitate
mǒ	抹	put on; apply

N

nàli	那裏	that place; there
nǎilào	奶酪	cheese
nánguā	南瓜	pumpkin
nào	鬧	noisy
nàr	那兒	there; that place
nèi	內	inner; inside
niánlíng	年齡	age
niúnǎi	牛奶	milk
niúròu	牛肉	beef
nóngmín	農民	farmer; peasant
nuǎnqì	暖氣	central heating

P

pái	牌	plate; brand; cards
pán	盤	plate; dish; measure word
pàng	胖	fat
pídàn	皮蛋	preserved duck egg
pífū	皮膚	skin
pián	便	convenient; informal
piányi	便宜	cheap
piàn	片	thin slice; flake; tablet
piào	票	ticket; bank note
piàojià	票價	the price of a ticket
piào	漂	fail
piàoliang	漂亮	beautiful
píng	瓶	bottle; measure word

| píngguǒ | 蘋果 apple |
| pútao | 葡萄 grape |

qí	奇 strange; rare
qíguài	奇怪 strange
qíquán	齊全 all in readiness
qíwáng	齊王 king of the State of Qi
qítā	其他 other; else
qì	器 utensil; ware
qiān	鉛 lead
qiānbǐ	鉛筆 pencil
qiānbǐhé	鉛筆盒 pencil-case
qiānwàn	千萬 be sure to
qián	錢 money; cash
qiáng	墻 wall
qiǎo	巧 skillful; clever
qiǎokèlì	巧克力 chocolate
qiě	且 just
qīnzì	親自 in person
qínshī	琴師 music master
qīng	青 green; young
qīngniánrén	青年人 young people
qīngshàonián huódòng zhōngxīn	青少年活動中心 youth center
qiú	求 beg; request; seek
qū	區 district
qǔ	曲 song
qǔzi	曲子 song; tune
què	卻 but; yet

rènao	熱鬧 lively; bustling with noise; excitement
rénmínbì	人民幣 RMB
rènchu	認出 recognize; identify
rènwéi	認爲 think; consider
rìcháng shēnghuó	日常生活 daily life
rìjì	日記 diary
rìjìběn	日記本 diary
rìyòngpǐn	日用品 articles of everyday use
rìyuán	日元 yen
ròu	肉 meat; flesh
ròupiàn	肉片 sliced meat
rúguǒ	如果 if
rújīn	如今 nowadays

sānmíngzhì	三明治 sandwich
sānwényú	三文魚 salmon
sǎng	嗓 throat; voice
sǎngzi	嗓子 throat; voice
sǎngziténg	嗓子疼 sore throat
shā	沙 sand
shālā	沙拉 salad
shā	殺 kill; slaughter
shāsǐ	殺死 kill
shānjiǎoxia	山脚下 the foot of a hill
shǎn	閃 flash; sparkle
shāng	傷 wound; injury
shāngchǎng	商場 shopping mall
shāngdiàn	商店 shop; store
shāngpǐn	商品 goods; commodity
shāo	燒 burn; cook; run a fever
shé	蛇 snake
shé	舌 tongue
shétou	舌頭 tongue
shè	設 set up
shèshī	設施 facilities
shēngāo	身高 height
shén	神 god; supernatural
shēngbìng	生病 fall ill
shēngcài	生菜 lettuce
shēngqì	生氣 angry
shēngrén	生人 stranger
shēng	聲 sound; voice
shēngyīn	聲音 sound; voice
shī	施 execute
shī	濕 wet; damp; humid
shī	拾 pick up; collect
shí	詩 poetry; poem
shīfēn	詩人 poet
shí	食 eat; meal; food
shíwù=shípǐn	食物=食品 food
shīrén	十分 very; extremely
shízì lùkǒu	十字路口 crossroads
shíyòng	實用 practical
shì	市 market; city
shì	柿 persimmon
shìchǎng	市場 market
shì	適 fit; suitable

shìhé	適合 fit; suit	
shōu	收 receive; put away; collect	
shōushi	收拾 put in order; pack	
shǒushù	手術 operation	
shǒuxiarén	手下人 subordinate	
shǒuzhítou	手指頭 finger	
shòu	售 sell	
shòu	瘦 skinny; slim	
shòu	受 receive; be subject to	
shòu gǎndòng	受感動 be moved by	
shòushāng	受傷 be injured	
shòu	壽 longevity; life	
shòusī	壽司 sushi	
shū	蔬 vegetables	
shūcài	蔬菜 vegetables	
shūfáng	書房 study room	
shūjià	書架 bookshelf	
shūzhuō	書桌 desk; writing desk	
shū	舒 stretch; easy	
shūfu	舒服 comfortable; well	
shǔ	薯 potato; yam	
shǔpiàn	薯片 crisps; chips	
shǔtiáo	薯條 French Fries	
shù	樹 tree	
shuāng	雙 twin; pair (measure word)	
shuǐguǒ	水果 fruit	
shuǐguǒ pán	水果盤 a plate of fruit	
sī	絲 silk; threadlike thing	
sì	寺 temple	
sìmiào	寺廟 temple	
sìjìdòu	四季豆 kidney bean	
sìzhōu	四周 all around	
sòng	送 give as a present; deliver	
sòng	宋 surname	
sòngguó	宋國 the State of Song	
sòu	嗽 cough	
sù	素 plain; vegetable	
suān	酸 sour	
suānnǎi	酸奶 yoghurt	
suàn	算 calculate	
suī	雖 although	
suīrán... dànshì...	雖然……，但是…… although...	
suǒyǒu	所有 all	

T

táidēng	臺燈 table lamp	
tāng	湯 soup	
táng	唐 surname	
tángdài	唐代 the Tang Dynasty (618-907)	
táng	糖 sugar; sweets	
tángguǒ	糖果 sweets; candy	
táo	桃 peach	
táozi	桃子 peach	
tàn	碳 carbon	
tànshuǐhuàhéwù	碳水化合物 carbohydrate	
tè	特 special; very	
tèbié	特別 special; especially	
téng	疼 ache; pain	
tī	梯 ladder; stairs	
tǐzhòng	體重 weight	
tiān	添 add	
tiāncháng rìjiǔ	天長日久 after a considerable period of time	
tiāndì	天地 world	
tián	甜 sweet	
tiánshí/pǐn	甜食（品） dessert	
tiěbàng	鐵棒 iron rod	
tīng	廳 hall	
tǐng	挺 quite; very	
tóng	童 child	
tóngbàn	同伴 companion	
tóngshí	同時 at the same time	
tóngyì	同意 agree	
tòng	痛 ache; pain	
tōu	偷 steal; secret	
tōu dōngxi	偷東西 steal things	
tóutòng	頭痛 headache	
tòu	透 penetrate	
tū	突 sudden	
tūrán	突然 suddenly	
tǔdòu	土豆 potato	
tuǐ	腿 leg; ham	
tuì	退 retreat; withdraw	
tuìhuàn	退換 exchange a purchase	
tuìshāoyào (piàn)	退燒藥（片） antipyretic	

W

wánjù	玩具 toy	

wǎn	碗	bowl; measure word
wàn	萬	ten thousand
wǎng	往	toward
wǎnghuízǒu	往回走	go backward
wǎngqiánzǒu	往前走	go forward
wǎngyòuguǎi	往右拐	turn right
wàng	望	gaze into the distance
wéi	維	tie up; maintain
wéishēngsù	維生素	vitamin
wéitāmìng	維他命	vitamin
wěi	尾	tail
wěiba	尾巴	tail
wèile	為了	for; in order to
wénjù	文具	stationery
wò	臥	lie
wòshì	臥室	bedroom
wú	無	nothing; there is not
wúxíng	無形	invisible
wúxíng wúyǐng	無形無影	invisible
wǔxiāng niúròu	五香牛肉	five-spice beef

X

xī	希	hope; rare
xīwàng	希望	hope; expect
xī	吸	inhale; absorb; attract
xīyǐn	吸引	attract
xīguā	西瓜	watermelon
xīhóngshì	西紅柿	tomato
xīshì	西式	Western style
xǐ'ài	喜愛	like; love; be fond of
xǐyījī	洗衣機	washing machine
xià	嚇	frighten; scare
xiàba	下巴	chin
xiàlìng	下令	order
xiān	鮮	fresh; delicious; sea food
xiān	纖	fine
xiānwéi	纖維	fibre
xiànjīn	現金	cash
xiāng	箱	box; case; trunk
xiāng	相	each other
xiāngchuán	相傳	according to legend
xiāngcháng	香腸	sausage
xiāngjiāo	香蕉	banana
xiāngshuǐ	香水	perfume
xiàng	相	look; appearance
xiàngcè	相冊	photo album

xiàngkuāng	相框	photo frame
xiàng	橡	rubber tree
xiàngpí	橡皮	rubber
xiàng	向	direction; turn towards
xiàngqiánzǒu	向前走	go forward
xiǎotōu	小偷	thief
xiǎoxīn	小心	be careful
xiē	些	some
xīnxian	新鮮	fresh; new
xìn	信	believe; letter
xìnyòngkǎ	信用卡	credit card
xíng	形	form; shape
xìng	性	nature; character
xiū	修	repair; build
xiù	繡	embroider
xū	需	need; require
xūyào	需要	need; want
xǔ	許	some; allow
xǔduō	許多	many
xuéfèi	學費	tuition fees
xuěbái	雪白	snow-white

Y

yā	鴨	duck
yágāo	牙膏	toothpaste
yánzhòng	嚴重	serious
yǎn	眼	eye
yǎnjing	眼睛	eye
yǎnjìng	眼鏡	glasses
yáng	楊	poplar (tree)
yáng bù	楊布	name
yáng	羊	sheep
yángròu	羊肉	lamb; mutton
yángtái	陽臺	balcony
yǎng	養	rest; foster
yǎngbìng	養病	recuperate
yàoburán	要不然	otherwise
yàoshì	要是	if; suppose
yègōng	葉公	Lord Ye
yègōng hàolóng	葉公好龍	professed love of what one does not really understand or even fears
yè	夜	night; evening
yèli	夜裏	at night
yīguì	衣櫃	wardrobe
yīwùsuǒ	醫務所	clinic

yí	宜 suitable; ought to	zài cì	再次 once more
yǐ	椅 chair	zěnme huíshì	怎麼回事 what happened?
yǐzi	椅子 chair	zhá	炸 deep-fry
yǐwéi	以為 believe; think	zhái	宅 residence; house
yì	議 opinion; view; discuss	zhàn	站 station; stop; stand
yìbān	一般 ordinary; common	zhǎngxiàng	長相 looks
yídìng	一定 surely; certainly	zháo	着 feel
yìjǔ liǎng dé	一舉兩得 kill two birds with one stone	zháojí	着急 worry
yìtiān dàowǎn	一天到晚 from morning till night	zhào	照 shine; photo
yìxiē	一些 some	zhàopiàn	照片 photo
yìzhí	一直 always; straight	zhe	着 particle
yìdàlì	意大利 Italy	zhé	折 discount
yǐn	引 attract; lead	zhème	這麼 so; such; like this
yǐnshíyè	飲食業 catering trade	zhèshí	這時 at this moment
yīngbàng	英鎊 pound sterling	zhèxiē	這些 these
yīngcùn	英寸 inch	zhèyàng	這樣 so; such; like this
yíng	營 seek; operate; camp	zhēnsī	真絲 silk
yíngyǎng	營養 nutrition	zhēng	爭 strive; argue
yìng	硬 hard; tough	zhěng	整 whole; full; neat
yóu	郵 post; mail	zhěngqí	整齊 tidy; neat; in good order
yóu(zhèng)jú	郵（政）局 post office	zhī	之 used to connect the modifier and the word modified
yóutiáo	油條 deep fried twisted dough sticks	zhī	汁 juice
yúshì	於是 hence	zhī	脂 fat
yù	玉 jade	zhīfáng	脂肪 fat
yùmǐ	玉米 corn	zhī	支 pay or draw money; measure word
yùmǐpiàn	玉米片 corn flakes	zhīpiào	支票 cheque
yù	浴 bath; bathe	zhí	直 straight
yùshì	浴室 bathroom	zhǐ	址 location; site
yuán	元 yuan, the monetary unit of China	zhǐ	指 finger; point to
yuán	原 original	zhǐ	志 will; sign
yuánjià	原價 original price	zhǐké yàoshuǐ	治 rule; cure
yuánlái	原來 as it turns out	zhì	止 stop
yuē	約 arrange; about	zhì	止咳藥水 cough syrup
yuè	越 jump over	zhì	質 nature; quality
yuèláiyuè...	越來越…… more and more	zhìliàng	質量 quality
yuè...yuè...	越……越…… the more... the more...	zhōngshì	中式 Chinese style
		zhǒnglèi	種類 type; kind
yuè guǎng	樂廣 name	zhònggǎnmào	重感冒 bad cold
yuèqǔ	樂曲 a piece of music	zhōu	粥 porridge; congee
		zhōuwéi	周圍 around
		zhū	豬 pig
		zhūpái	豬排 pork chop
		zhǔshí	主食 staple food
zá	雜 miscellaneous	zhù	助 help
zázhì	雜誌 magazine	zhù	祝 wish
zǎocān=zǎofàn	早餐＝早飯 breakfast	zhùyuàn	住院 be in hospital

Z

zhùzhái	住宅	residence
zhùzháiqū	住宅區	residential district
zhuān	專	specialize in; expert
zhuānmàidiàn	專賣店	exclusive shop
zhuā	抓	grab; seize; catch
zhuō	桌	table
zhuōzi	桌子	table; desk
zìdòng	自動	automatic
zìxiāng máodùn	自相矛盾	self-contradictory
zìzhùcān	自助餐	buffet
zǒngsuàn	總算	finally
zuǐ	嘴	mouth
zuǐba	嘴巴	mouth
zuìhòu	最後	finally
zuòmèng	做夢	have a dream